O1118

11/A

Et n'attendre personne

DU MÊME AUTEUR

AUX ÉDITIONS HÉLOÏSE D'ORMESSON

Le Fiancé de la lune, 2008.

Éric Genetet

Et n'attendre personne

Roman

Éditions Héloïse d'Ormesson

© 2013, Éditions Héloïse d'Ormesson

www.editions-heloisedormesson.com

ISBN 978-2-35087-210-0

Un samedi du mois de juin, Isabella était seule à la terrasse du Café de l'Opéra. Attablée devant un Coca, elle écrivait une lettre d'amour, ou de rupture – je le souhaitais. J'étais très attiré par ce que laissait deviner sa robe légère. Ses seins bougeaient au rythme des à-coups de son stylo à bille. Comme dans une publicité pour un shampoing extra-doux, elle écartait de son visage ses longs cheveux noirs, qui inlassablement revenaient à leur place initiale, disciplinés dans l'indiscipline. Elle avait l'élégance d'une femme mûre, malgré son jeune âge.

J'avais une vingtaine d'années, des cheveux hirsutes pour faire plus grand, des mousses de Walkman sur les oreilles pour être à la hauteur et un Reflex autour du cou pour découvrir New York pendant les vacances d'été, avec l'ambition de faire des chefs-d'œuvre. Pour me donner une contenance, je gardais le regard plongé dans les *Fragments d'un discours amoureux* de Roland Barthes, un livre parmi d'autres que Mlle Françoise, le patron de mon café préféré,

7

conseillait à ses clients et qu'il stockait dans une petite bibliothèque derrière la caisse enregistreuse. Il m'avait dit : « Lis ça, tu feras un bout de chemin. » Je le feuilletais : « DÉMONS. Il semble parfois au sujet amoureux qu'il est possédé par un démon de langage qui le pousse à se blesser lui-même et à s'expulser, selon un mot de Goethe, du paradis que, dans d'autres moments, la relation amoureuse constitue pour lui. » Mais Barthes et Goethe ne m'intéressaient pas plus que ça et beaucoup moins qu'Isabella, qui ne prêtait attention ni à moi ni à personne.

Inspiré par la lumière du soleil couchant, je braquai mon objectif sur la jeune femme. Elle fit mine d'être importunée, leva ses yeux verts au ciel, mais ne put retenir un sourire.

— Je suis désolé, cet appareil se déclenche tout seul, comme une envie de…

— Une envie de parler à une inconnue ?

Incapable de répondre, je terminai mon Perrier menthe d'un seul coup. Des gouttes de sueur perlaient sur mon front et je souris, un peu crispé. Je m'encourageai : « Allez Alberto, allez, bouge ton cul. Allez merde, balance quelque chose de pas trop con… » Trop tard. Je fus saisi d'un vertige et tombai dans les pommes.

Mlle Françoise me retourna de grosses gifles et insista pour que j'avale un verre de schnaps, l'excitant local qui réveille les morts et le commun des mortels. Le liquide me brûla la gorge au quatrième degré. Je toussai. Le patron me tapa dans le dos comme si j'avais un morceau de tarte flambée coincé dans le tube digestif. Je basculai en avant, ma tête heurta le bord de la table. De tout mon poids, je m'écroulai sur le sol. Mlle Françoise m'attrapa par les épaules, me hissa sur ma chaise, puis paniqua à la vue du sang qui coulait sur mon visage. Isabella me proposa un verre d'eau. Je ne répondis pas, gémissant astucieusement. Plus les secondes passaient, plus cette belle inconnue s'habituerait à moi. Elle ne pourrait bientôt plus partir en me laissant dans cet état. Elle répéta plusieurs fois : « Ça va, vous êtes sûr ? » Je fis : « Ah, ah, ah… » en imaginant qu'un nouvel évanouissement serait un acte audacieux, mais judicieux. Immédiatement elle m'embrasserait, pendant vingt-quatre images seconde.

– Il faut appeler une ambulance, lança-t-elle.

Au même instant, j'encaissai une vague d'une hauteur idéale pour les surfeurs musclés d'Hawaï et je chavirai en arrière. Le patron m'avait jeté le contenu d'un pichet en plein visage, comme sur un début d'incendie. Un mélange de sang et d'eau inonda ma chemise. Isabella sourit et me tendit la main. Après, elle joua l'infirmière de garde. Elle épongea mon visage avec ses mouchoirs en papier et me colla sur le front un pansement gros comme un sticker de camion. Mon cœur zoomait et dézoomait, cherchait à faire le point, il était brûlant. Sans trop y croire, je lui proposai de descendre les marches de l'Opéra et de faire quelques pas, histoire de retrouver mes esprits. Elle hésita, j'insistai, elle accepta.

En marchant du quai des Pêcheurs à l'Orangerie, ce qui fait beaucoup plus que quelques pas, je me jurai qu'un jour je l'emmènerais dîner au Buerehiesel, le restaurant chic au milieu des arbres du parc. Elle me parla d'elle, de sa vie à Strasbourg, de son métier d'animatrice à la radio. Moi, rien, pas un mot, j'avais peur de dire des conneries. Je l'écoutai. Et immortalisai les prémices de notre histoire. Trente-six poses, mise au point automatique, « le paradis », d'après le mot de Goethe qui avait pourtant renoncé au mariage avec son amour de jeunesse, la fille du pasteur de Sessenheim, Friederike Brion.

Le lendemain matin, en sortant de chez Isabella, qui habitait pas loin de la cathédrale, au 36 de la rue du Vieux-Marché-aux-Poissons, je remarquai une plaque sur la façade. Elle indiquait la présence de Goethe à cette adresse, de 1770 à 1771. Strasbourg était la ville la plus romantique du monde.

Cet été-là, les températures furent caniculaires, nos corps s'enlacèrent dans la moiteur d'un petit Paris du grand Est, notre Ville lumière. J'annulai New York, mon premier voyage en solitaire, pour rester avec Isabella, définitivement. J'avais rencontré celle que j'attendais. Elle était l'espoir qui détraquait la grisaille, un vertige éblouissant. Du sens dans la mécanique obscure de l'amour. Les convictions d'Isabella gommèrent les traits sombres de mon caractère, les taches noires sur le tableau, incompatibles avec une vie de famille.

Dix mois plus tard, Isabella surgit au Café de l'Opéra avec la certitude de m'y trouver en compagnie de mon ami Antoine. « J'attends un enfant de toi », me dit-elle. Je ne criai pas mon bonheur comme le font tous les hommes à cet instant. Ma joie fut contenue, comme si je respectais une bienséance ancestrale, mais nous avons fêté la nouvelle en buvant des verres avec Antoine qui n'attendait que ça. Puis j'ai invité Isabella au Buerehiesel.

ॐ

Deux décennies de mariage au compteur, une dizaine d'étés trop chauds et une dizaine d'autres pas assez, une vingtaine d'hivers rigoureux, des hauts et des bas, des droites, des gauches et des esquives. Une vie. Une vie en évitant les normales saisonnières, la routine amoureuse et les plongées douloureuses dans les bas-fonds de la mesquinerie des années qui passent. Quelquefois, j'avais fui le « paradis », préférant les bars enfumés aux couches du bébé, les cercles de nuit aux insomnies, les apéros entre copains aux dîners à la maison. Mais notre histoire, solide comme du béton brut, avait résisté à toutes les intempéries.

LE JOUR DÉCLINAIT. J'avais passé une journée compliquée. Besoin d'un verre. J'entrai à l'Opéra avec le vent de l'hiver. Des fragments de neige en suspension ne fondaient pas malgré le contact avec l'air tiède à l'intérieur du bar. Je soufflai dans mes mains pour me réchauffer. Derrière son comptoir, Mlle Françoise cherchait sur son iPhone un morceau à écouter. Nous échangeâmes des formules de politesse :

— Ça va, Alberto ?

— Ça va bien, merci. Et toi ?

Il rétorqua :

— Beaucoup mieux, c'est ce que dit mon mec, qui a de vagues compétences dans le domaine.

Il avait toujours le mot pour rire, le patron.

Je commandai du vin et feuilletai *Les Dernières Infos*, en commençant par la fin.

— Nat King Cole, c'était le plus grand, j'adore cette chanson… C'est dingue ce temps, tu ne trouves pas ? me demanda Mlle Françoise.

Je ne répondis pas à sa question. Il fit comme s'il ne l'avait pas posée.

– Alors, ce Chambolle-Musigny? Magnifique, non?

Je bus mon verre, lus le journal. J'allongeai un billet de dix euros sur le comptoir.

– Comment va Manuel, m'interrogea le patron?

– Très bien, il a vingt ans aujourd'hui.

❦

Isabella avait préparé le dîner : gigot ficelle et légumes frais du jardin décongelés. De la cave, je remontai avec deux bouteilles de mon meilleur côtes-du-rhône, un châteauneuf-du-pape gardé précieusement depuis vingt ans. J'aimais quand Isabella avait ses cheveux plaqués en arrière, comme l'égérie d'une marque de cosmétique de luxe qui envahissait la totalité des abribus. Ma mère trouvait qu'elle lui ressemblait beaucoup. Moi, pas trop. Mais comme elle venait rarement, je ne la contredisais pas. À la mort de mon père, elle avait pris une retraite anticipée dans une petite ville thermale des Alpes-de-Haute-Provence, abandonnant sa carrière de comédienne et sa famille. Elle ne quittait Gréoux-les-Bains que pour les grandes occasions.

Dehors, la neige tombait encore. À table, Manuel était placé entre sa mère et sa grand-mère, un rituel. Nous passions une belle soirée tous les quatre, nous parlions de notre journée, de politique, des films à ne pas rater au ciné, des prochaines vacances. Le châteauneuf-du-pape fut à la hauteur. Manuel aima le repas et ses cadeaux, deux billets d'avion pour Barcelone, un pull avec le mot « liberté » écrit dans le dos en lettres majuscules et *The Great Gatsby*, le roman de Francis Scott Fitzgerald dans sa version originale. Nous formions une famille unie et heureuse, même si Manuel était plus réservé que d'habitude.

– J'ai un truc important à vous dire, lança-t-il en posant son verre vide.

À chaque étape de sa vie, j'avais échafaudé des scénarios introuvables dans les guides d'éducation ou dans les émissions de télé-réalité : des maladies inconnues sur terre, les séquelles d'un autre nuage de Tchernobyl, des peines de prison, des accidents de vélo ou de scooter. Je l'avais même suivi lors de sa première classe verte, à l'aller comme au retour, caché à une centaine de mètres derrière le car scolaire pour qu'il ne reconnaisse pas notre voiture. Manuel était un enfant surprotégé, sans doute parce que j'avais le sentiment que mon père ne s'était jamais inquiété pour moi.

Perdu dans mes pensées, la déclaration de Manuel m'échappa. Isabella se leva et serra notre garçon dans ses bras :

– C'est formidable mon chéri, je suis heureuse pour toi. Très heureuse.

Ma mère essuya la première larme d'une longue série : « Quelle merveilleuse nouvelle! » pleura-t-elle. J'ai failli dire que pareil, j'étais fou de joie, fier de lui, vraiment, que je n'avais pas douté, que j'en étais persuadé, mais de quoi? J'aurais pu émettre de sérieux doutes ou m'opposer formellement, mais à quoi? Alors qu'un épisode essentiel de notre vie familiale semblait s'être joué, je restai sans voix, devant les trois êtres que j'aimais le plus au monde. Il était déjà trop tard pour interroger mon fils sur le contenu de ses propos. Je serais passé pour un égoïste détraqué, incapable de comprendre le fruit de l'hymen dans un moment crucial. Pas de réaction, c'était forcément suspect. D'une seconde à l'autre, ils poseraient sur moi un regard inquisiteur. Ils attendraient les mots du chef de famille, conformité à laquelle je m'étais soustrait régulièrement. J'étais obligé de dire un truc, quelque chose, n'importe quoi. Pour gagner de précieuses secondes, je bus mon verre cul sec, ou celui d'Isabella, ou les deux, je ne sais plus. Après, je me levai et balançai :

– Ça se fête, non?

Les autres soixante-quinze pour cent de ma petite smala semblaient d'accord, une bouteille de Ruinart rosé, le champagne préféré de Manuel, refroidissait depuis la veille. Je tentai autre chose pour me dégeler un peu : il ne semblait pas s'agir d'une nouvelle épouvantable, je pris le risque d'affirmer avec un enthousiasme aussi équivoque que débordant :

– C'est incroyable cette nouvelle. Incroyable!

Ils approuvèrent, même s'ils sentaient bien que quelque chose m'échappait. Ils exécutèrent tous les trois le même signe de la tête, un léger balancement de haut en bas, puis allumèrent des cigarettes, dans une synchronisation proche de la perfection, une forme de complot. C'était vraiment dégueulasse.

– Alors, ce champagne, Alberto? Tu peux en profiter pour apporter le gâteau, s'il te plaît? me lança ma femme, comme si elle s'adressait à un vieil oncle à moitié sourd et intraitable.

Je me levai et, d'un pas décidé, me dirigeai vers la cuisine. Je me postai devant la porte de la salle à manger pour les écouter en douce et trouver un indice. Isabella parlait de son pâtissier, très doué pour les gâteaux d'anniversaire, étonnant! Manuel s'enthousiasmait pour sa future carrière de musicien, quand soudain un seul nom me suffit à comprendre : New York! J'avais bien entendu, New York? La ville de Gatsby le magnifique!

Tout s'arrêta net, comme une machine dans une usine; un type enfonce un énorme bouton rouge, le bruit caverneux du moteur qui freine indique que c'est terminé pour aujourd'hui. J'essayai d'allumer une cigarette avec le grille-pain en panne! Il manquait une étincelle pour faire redémarrer l'automate, pour me convaincre que le départ de Manuel pour les États-Unis s'inscrivait dans la logique des choses, que je n'avais aucune raison de me mettre dans cet état. Isabella, indigne, elle, se réjouissait. Elle pouvait jouer le jeu avec notre fils, mais comprendre aussi ma détresse et me retrouver dans la cuisine pour me consoler un peu. Nous aurions fait preuve de solidarité dans l'adversité. Nous nous serions entraidés, serré les coudes devant le grille-pain.

Le groupe dans lequel Manuel était chanteur avait signé avec une major, il allait enregistrer un album dans le confort d'un studio new-yorkais après les vacances d'été. Ma mère, les yeux rouges, n'en finissait pas d'être enchantée ! J'étais fier de mon fils, qui accomplissait son rêve, mais une douleur acide me parcourut le corps. Pas seulement parce que j'avais toujours détesté les départs et les soirs d'anniversaire.

Mon père était un homme athlétique et mystérieux. Peau mate et cheveux noirs, de faux airs de Marcello Mastroianni. Passionné très tôt par la mécanique, il était devenu garagiste. De l'huile de moteur avait coulé dans ses veines.

Il portait un costume sombre et une chemise blanche parfaitement repassée, « pour honorer la route », disait-il fièrement quand il avait envie de parler. Ses Ray-Ban Aviator sur le nez, il allumait l'autoradio, vérifiait la pression des pneus, le niveau des liquides, tous les trucs à faire pour éviter les problèmes – il n'aimait pas les problèmes. Il se lavait ensuite les mains avec le tuyau d'arrosage. Puis il mettait le contact, laissait chauffer sa 504 quelques minutes avant de démarrer. Avec ma mère, nous le regardions sans bouger. Dans ces moments-là, il avait l'air heureux, comme s'il avait trouvé l'alliage pour tuer le temps. Petit garçon, j'assemblais les périodes où mon père était à la maison comme des Lego, j'oubliais ses absences, elles n'existaient pas, pas plus que les soirées d'anniversaire sans lui. Je construisais des tours de toutes les couleurs en imaginant qu'il dirigeait le monde entier. Ses silences me semblaient légitimes. Plus tard, je l'ai détesté pour ça, ses voyages en solitaire étaient des mystères, des secrets étouffants qui ont agi comme des collisions et privé ma jeunesse de l'éclat de l'insouciance.

Je faisais souvent le même cauchemar : mon père allait prendre la route, l'enfant que j'étais à sept ans criait : « Papa, reviens. » Je pleurais des larmes de cambouis. Il s'éloignait au volant de la 504, sans remarquer ma présence. Autour, tout s'agitait, il y avait du vent, des bruits de tôle inflexible. Ma mère hurlait : « Pourquoi tu fais ça Dino ? Pourquoi tu nous abandonnes ? » Ce rêve me hanta longtemps.

Rétrospectivement, j'avais le sentiment d'avoir manqué de tout. D'amour surtout, c'était comme si je ne l'avais pas connu. J'avais des doutes sur ma propre identité. J'étais incapable de savoir si j'allais bien ou mal. J'ignorais tout de moi, de la pluie, du beau temps, des ombres qui aveuglent et mettent des coups de pied au cul. Je ne savais pas que le langage est une matière brute, un diamant, que chaque mot que l'on prononce est la traduction de la pensée.

Au milieu des années 1980, dans un entrefilet, *Les Dernières Infos* titrèrent : « Un garagiste meurt au volant de sa voiture préférée. » Avant Lyon, la 504 avait quitté la route qui remontait du Sud et plongé dans le Rhône. Un naufrage à glacer le sang. Aucun élément de l'enquête n'avait permis de comprendre l'origine du drame. Pourquoi avait-il perdu le contrôle? Les rares témoins affirmaient avec conviction qu'une femme était à bord. Son corps n'a jamais été retrouvé. Ma mère éluda toutes mes questions. Lorsque j'insistais, elle devenait agressive, s'énervait, ne voulait plus parler de cette histoire. Je ne souhaitais pas la torturer. Causes officielles du décès : inconnues.

Juste avant le vingtième anniversaire de mon fils, je fouillai dans ma cave, dans les affaires de mon père, dans les cartons que ma mère n'avait pas emportés à Gréoux. Dans l'un d'eux, je retrouvai des photos en vrac dans une boîte du jeu des 1 000 Bornes qui sentait le vieux : il y avait des tirages de moi, du garage, des vacances à la mer et de la 504. Une photo noir et blanc, 13 × 19, attira mon attention. Une femme d'une trentaine d'années, peut-être moins, prenait une posture de vedette du cinéma italien des années 1960, au volant de la voiture. Elle portait des habits de couleur claire et un foulard blanc sur les cheveux. Le contre-jour ne permettait pas de distinguer la totalité de son visage. Je décidai de garder cette photographie sur moi et d'en parler à ma mère, un jour ou l'autre.

ॐ

AutoDino était bien placé, à la sortie de la ville, avant de plonger sur la route nationale 4, direction Paris. Des clients fidèles débarquaient sans rendez-vous pour des pannes, des pneumatiques crevés, des bielles, des amortisseurs, des échappements refusant d'aller plus loin. Des entretiens coûteux qui remplissaient le tiroir-caisse. Moi, je jouais aux grandes voitures plus souvent qu'aux petites. Je traînais des heures dans l'atelier, dans les effluves de térébenthine et les montagnes de roues hors d'usage parfaitement empilées. En buvant à la paille des litres de Capri-Sun goût orange, j'observais les hommes en bleu de travail maculé, les vidanges, les mares d'huile arc-en-ciel sur le sol, le bal des boulons et le concert des portes qui claquaient et résonnaient sous le plafond du hangar. J'étais comme un fils de forains désenchanté, je passais à côté des manèges sans me réjouir. Mon parc d'attractions était une station-essence familiale.

La plupart du temps, les rouleaux du volucompteur des pompes libre-service s'arrêtaient sur des chiffres ronds. Certains s'y reprenaient plus d'une fois pour trouver une exactitude futile. Il arrivait qu'un automobiliste ou un camionneur stoppe le flux du carburant sans faire attention à la virgule. Ceux-là souriaient plus souvent que les autres en allongeant les billets de cinquante francs. Ils affichaient « RTL, Les routiers sont sympa » à l'arrière de leur véhicule. Sur l'autocollant, il y avait la tête de Max Meynier, l'animateur à la grande moustache. Je m'endormais chaque soir avec sa voix rassurante, mon premier mini-transistor planqué sous l'oreiller. Cet homme était un père pour moi, un autre père, un père qui me parlait. Ses routiers étaient vraiment sympa. « Salut routier, bonne route », je criais, en espérant les retrouver un peu plus tard dans le poste, où, pendant deux heures, ils rendaient d'innombrables services, faisaient des détours pour « charger » quelqu'un, évoquaient des anecdotes, passaient le bonsoir à leur famille restée à des centaines de kilomètres. Ils étaient mes héros. Je m'abandonnais au sommeil avant le générique de fin.

La matinale de la station de radio me réveillait si les piles avaient tenu jusqu'au lendemain. J'emportais le transistor dans la cuisine. Avant d'aller à l'école, pieds nus sur le carrelage glacé, j'écoutais les infos en mangeant des BN à la fraise que je trempais dans du lait froid. Ma mère travaillait tard, elle dormait. Mon père buvait son café en silence, les yeux qui ne pensaient à rien.

Il ne parlait jamais de lui, encore moins de sentiments, plus facilement des belles autos. Dès que quelqu'un lui posait une question sur sa Peugeot 504 cabriolet, il était plus loquace : quatre cylindres en ligne, une routière aux odeurs de vieille armoire. Mille deux cents kilos d'élégance, une ligne incroyable ! Sa peinture rouge de Chine, ses trois compteurs ronds derrière le volant, sa capote noire et sa boîte à gants pleine de cassettes de Michel Sardou ou de rock américain qu'il enclenchait seulement quand il était de bonne humeur. Il avait retapé des dizaines de véhicules dans sa vie, mais c'est à sa 504 qu'il resta fidèle, le modèle mythique des années 1970, jusqu'à ce que la mort les sépare. Il en prenait soin comme d'une œuvre d'art protégée derrière une vitrine. Il lui parlait, la caressait, n'acceptait pas la moindre poussière sur la peinture. En début de soirée, lorsque le veilleur de nuit avait pris le relais, il ne bougeait pas du garage. Au volant de sa 504, il écoutait les succès du hit-parade en fermant les yeux. Je l'observais, caché sous un démonte-pneu, avant d'aller retrouver mes routiers à la radio. Avec sa voiture, mon père formait un couple plus légitime qu'avec ma mère, qu'il avait fini par négliger. Devant son regard fuyant et glacial, elle ne cachait jamais sa tristesse. Elle pleurait beaucoup. Sur les planches, elle interprétait les femmes meurtries à la perfection. Comédienne de théâtre, elle courait les petits cachets sans jamais imaginer tenir la caisse du garage définitivement, ce que mon père exigeait pourtant. Elle n'acceptait cette responsabilité qu'entre deux rôles. Il avait beau entrer dans des colères noires, elle n'avait jamais cédé sur ce point, comme sur le choix de mon prénom. Mon père aurait préféré Steve ou Kirk. Il n'avait jamais mis les pieds aux États-Unis, mais voulait me donner un nom qui respire l'Amérique.

Derrière la caisse du garage, il avait accroché un poster du pont de Brooklyn et des tours du World Trade Center à la tombée de la nuit, des milliers de lumières carrées au-dessus des taxis jaunes. Au début de leur histoire, il avait voulu découvrir Manhattan avec ma mère, mais elle avait peur en avion, les voyages au-delà des mers et des océans qui entourent la France étaient impensables. Il renonça à New York la mort dans l'âme.

J'ai toujours pensé que mes parents formaient un couple fragile, un couple qui souffrait le martyre. Balafré. Elle se maquillait, se parfumait pendant qu'il s'acharnait à se débarrasser de l'odeur des moteurs et du cambouis sur sa peau. Il se réveillait quand elle se couchait. Ils ne prenaient jamais le petit déjeuner ensemble en écoutant la matinale de RTL.

J'étais entré comme photographe aux *Dernières Infos* avec l'ambition de devenir grand reporter, lorsque la naissance de Manuel changea mes priorités. Très vite je m'habituai à mon CDI tout confort, sans les risques du métier. Mais au bout de vingt ans de bons et loyaux services, vingt ans de boutique, huit mille images tièdes, sans projecteurs, sans paillettes, j'en avais marre de voir les mêmes têtes, ras le bol de tolérer les mêmes dégénérés qui traitaient l'actualité avec suffisance et leur profession avec mépris. Je ne supportais plus les discussions autour de la machine à croque-monsieur. Je vomissais le jus de chaussette syndiqué et trop sucré du distributeur. J'en avais ma claque de partir le matin avec mon matériel sous le bras pour illustrer les colonnes d'un journal auquel j'avais cessé de croire. L'image était saturée, mon âme de guerrier enfermée dans mon Reflex. À mon sentiment de lassitude s'ajoutaient les difficultés des *Dernières Infos*.

Poussé dans ses retranchements par la révolution numérique, le quotidien était tombé de son piédestal. Les dirigeants ne parvenaient pas à redistribuer les cartes, à repenser la stratégie et la ligne éditoriales. Les journaux n'avaient plus l'éternité devant eux, comme ils l'envisageaient à la fin du XIXᵉ siècle. Leur hégémonie devenait un morceau de gruyère dans lequel les nouveaux médias grignotaient froidement des parts de marché. L'ambiance était délétère. Sur la façade extérieure, un matin, on vit, tagué : « Comme les rois de France, vous portez des perruques, mais vous n'êtes que de gros salopards. » La presse quotidienne régionale était menacée par les changements de modes de consommation. Les cadres peu lucides mettaient leur manque d'anticipation sur le dos de leur supérieur. Les représentants syndicaux parlaient d'un plan social, d'un nombre conséquent de licenciements ou d'un rachat par un groupe bancaire.

Pour tenir son équipe au garde-à-vous, Bertrand Fischer, le ventripotent rédacteur en chef, officiellement soutenu par le président Curkovic, transformait les rumeurs en arguments. Ils étaient aussi complaisants l'un que l'autre. Ils persistaient à penser que la vraie concurrence de leur journal, c'étaient les « non-lecteurs ». Ils n'évoquaient ni les ventes, ni le chiffre d'affaires en chute libre, ni les « plus-lecteurs ». « Nous vivons une situation particulièrement difficile. Alors qu'allons-nous faire? Je vais vous le dire », expliqua Fischer en enlevant sa veste de costume froissée et bon marché. « D'abord, nous serrer les coudes. Ensuite, revoir nos habitudes de travail, repenser ensemble notre fonctionnement au sein de l'entreprise, produire un effort considérable, je vous le demande. Je compte sur vous, il faut vous mobiliser. Je veux une rédaction qui s'adresse à tout le monde. »

Selon moi, un quotidien ne pouvait pas faire l'économie d'analyses pointues, d'opinions et de contenus cohérents. Ces éléments, qui me paraissaient indispensables, étaient totalement exclus par Fischer et compagnie. La rédaction était partagée entre les pro-Fischer et les autres qui trouvaient son incompétence sans limites. Je me situais dans la catégorie de ceux qui ne pliaient pas, depuis sa prise de fonction. Fischer m'avait dévisagé de longues secondes avec un regard froid et arrogant qui pose un homme.

– Caruso? On s'est déjà rencontré, je crois!

– Je ne pense pas.

– On se connaît, avait-il conclu fermement.

D'emblée, notre collaboration fut compliquée. Il avait beau porter le nom de ma bière préférée, nous n'avions rien en commun. J'incarnais ce que mon chef détestait plus que tout. J'ignorais pourquoi, mais c'était une évidence, j'étais un problème pour Fischer. Ce type se prenait pour le Sphinx et devait considérer que je lui avais pété le nez dans une vie antérieure. Il attendait l'agression, l'espérait, pour se délecter dans la bagarre contre moins puissant que lui sur l'organigramme. N'ayant jamais eu aucune disposition à l'affrontement, je n'étais pas attiré par les duels ou les combats de coqs. Avec une arme, je me serais tiré une balle dans le pied.

J'étais favorable à la vente des *Dernières Infos*. En cas de changement d'actionnaires, j'étais assuré de pouvoir utiliser la clause de conscience des journalistes, et ainsi quitter l'entreprise avec des indemnités et le droit au chômage. Je m'imaginais libéré de tout, vagabondant dans l'herbe, au milieu des arbres fruitiers, dans notre maison de campagne en pierre, à Sessenheim, le village de Friederike Brion. Je rêvais d'Isabella, allongée sur le canapé dans son pull en mohair, plongée dans un roman.

Je me faisais des films, ces moments-là étaient devenus très rares. Isabella ne prenait plus le temps de se reposer. La semaine, elle animait une émission, une heure d'entretien chaque jour pour Est Radio, vingt ans de boutique, huit mille invités, elle avait bourlingué elle aussi. Les week-ends, elle travaillait pour une station privée en Belgique. J'avais toujours admiré son calme, sa sérénité et son sens de la famille. Isabella était douce, attentive, sur la brèche, mais jamais dépassée par les événements. Elle n'avait pas dans les yeux cette lumière éteinte des femmes frustrées de n'avoir pas osé prendre le risque de se tromper. J'ignorais comment elle s'arrangeait pour être aussi exceptionnelle.

Si la vie était une courbe accidentelle, depuis ma rencontre avec Isabella, la mienne s'avérait géométriquement parfaite. J'étais éperdument amoureux de ma femme, j'avais un fils aussi brillant que singulier, je faisais du sport, je jouais au poker avec mon voisin et ami Benjamin. Il y avait nos sorties, notre passion commune pour le cinéma, le théâtre et les dîners. Les plaisirs de l'existence, vins et cigarettes compris. J'étais une force de la nature sur laquelle les années qui galopaient comme un cheval fou n'avaient pas de prise : une tension épatante, aucun pépin physique, des tests à l'effort éloquents, un cœur de coureur de fond, des yeux de lynx. Signe particulier : néant.

Sauf que, la quarantaine passée, j'étais entré dans une zone de non-droit réservée aux victimes potentielles des maladies redoutées : cancers au choix, nous avons tout en magasin, promos sur les infarctus et les hémochromatoses, hypocondrie, soldes monstres au rayon hypertension, accident cérébral en option jusqu'à Noël, on en profite, réticulo-endothéliose, sprue, syringomyélie, elle est belle ma thalassémie, trichophytie, tularémie. Je me situais dans le cœur de cible de la disparition de la surface de la terre par syndrome trop injuste. Au début, j'affirmais que je ne craignais rien. Isabella me massait les pieds devant la télévision, et c'était plus efficace que le meilleur médicament, ça prolongeait ma vie, ça rétablissait un équilibre avec les paquets de cigarettes que je fumais. Lorsque je lui parlais d'une vieille connaissance qui venait de passer l'arme à gauche, d'un collègue du journal qui avait cassé sa pipe, Isabella intensifiait ses massages. Mais, depuis ses allers-retours à Bruxelles – absences aussi radiophoniques qu'égocentriques –, la fréquence de ses câlineries avait sensiblement diminué. Je ne fis

29

aucune remarque intempestive, mais sans mon antidote, un bilan de santé s'imposait.

Mon toubib me prescrivit la totalité des tests, une sorte de super check-up plombant le trou de la Sécu, et mon moral. Il fallait tout vérifier, chercher la petite bête : la prostate, le cerveau, les testicules, l'estomac, les dents, le cœur, les bronches, le sang et des parties du corps jusqu'alors inexplorées. Tout passer au scanner.

Je reçus les résultats juste avant un dîner à l'Opéra avec Isabella. La médecine a progressé dans tous les domaines, mais on n'avait rien trouvé chez moi. À part une presbytie naissante qui expliquait ma consommation élevée d'aspirine et mes difficultés à me concentrer sur mon ordinateur ou sur la lecture d'un roman plus d'une demi-heure.

— Le lynx est fatigué, avait dit Isabella.

— Normal à mon âge, m'a expliqué l'ophtalmo.

— Normal, oui.

— Normal peut-être ! Mais les premières marques d'impuissance physique sont des épreuves insupportables qui en appellent d'autres.

— Tu n'as pas vraiment à te plaindre, Alberto Caruso. Et puis tu vas pouvoir te reposer ce week-end.

— Tu peux nous faire la note ? je demandai au patron en me levant et en lui écrasant un pied.

— C'est pas grave, je me sers très peu de celui-là, répondit Mlle Françoise.

Malgré les bons résultats de mes analyses, j'étais obsédé par la mort. Elle était là, en face, prête à en découdre. Je m'interrogeais sur le moment où elle lancerait sa première offensive. L'existence me glissait entre les doigts, laissant au passage des petites taches foncées sur la peau. Des éphélides, signe des années qui passent sur mes mains vacillantes. Le monde allait tourner sans moi, l'idée était monstrueuse.

Allongé sur notre lit matrimonial, je fus saisi par la photo d'Isabella lors de notre première rencontre à l'Opéra. Je ne la voyais plus depuis combien de temps ? Elle était là pourtant, au milieu d'un mélange harmonieux de bougeoirs, de livres et d'objets que l'on garde sans trop savoir pourquoi. Je passais devant elle plusieurs fois par jour. Pendant plus de vingt ans, elle avait merveilleusement bien pris la poussière.

J E N'AVAIS RIEN PRÉVU pour le week-end de la fête des Mères. J'étais seul, Isabella avait déjà filé dans la ville du Manneken Pis, Manuel donnait un concert en Allemagne. En sortant du journal, je passai boire un verre à l'Opéra. Mlle Françoise n'avait pas beaucoup de temps, le vendredi le café était très fréquenté :

— Je te parlais de Jacques tout à l'heure, tu sais. Je suis toujours disponible pour lui, je l'écoute pendant des heures… Je suis absorbé quand il parle de ses problèmes avec ses parents, son enfance, son boulot, ses peintures… Il est super doué. Super torturé. Il me dit qu'il n'est rien, que je mérite mieux que lui, que je perds mon temps. Tout le monde a l'impression de perdre du temps. C'est la vie, non? Je crois qu'il n'a plus envie de moi. Que notre histoire touche à sa fin, après avoir touché au sublime. Je ne sais pas. Je m'occupe de lui depuis deux ans… Je… Je ne sais pas ce que c'est l'amour finalement. Je reviens Alberto, ne bouge pas, il faut que tu me parles d'Isabella.

Je sortis fumer une cigarette pendant que Mlle Françoise servait des verres de vin. Le soleil donnait des nuances délicates à la façade de l'Opéra du Rhin, il réchauffait ma peau et les vieilles pierres, avant de se coucher de l'autre côté de la ville. Je me demandai si l'amour n'était pas simplement un rayon inconstant qui meurt derrière un gratte-ciel, une servitude, une envie légère de chaleur qui peut disparaître en une seconde, comme une flamme étouffée entre deux doigts halitueux. Je me foutais de savoir si l'éternité pouvait s'éteindre un jour, si j'avais de la valeur ou du pouvoir dans ce monde éphémère. Je regardais les pigeons de la place Broglie se bagarrer pour les miettes de pain de Mme Weber, ma voisine. Étaient-ils plus heureux que ceux de la place Saint-Marc ? Un vélo passa, la volée d'oiseaux se déplaça de quelques mètres avant de revenir au même endroit, pour reproduire les mêmes mouvements, comme Mme Weber qui venait là chaque jour, par tous les temps, même quand les pigeons avaient trop froid pour se déranger.

À l'intérieur du bar, Mlle Françoise s'affairait. C'était l'heure de l'apéro. Nous n'aurions plus le temps de poursuivre notre conversation. Je décidai de prendre la route pour arriver chez ma mère le lendemain matin.

ॐ

Sur l'autoroute, grâce au régulateur de vitesse, le paysage défilait constamment à cent trente à l'heure sur le goudron sec et maintenant plus froid. J'observais l'effet des beaux jours sur la nature en écoutant mes titres préférés. Mon iPod, branché sur l'allume-cigare, fut très inspiré. La lecture aléatoire enchaîna Bowie, Biolay, la B.O. de *Pulp Fiction*, Luz Casal… Je repensais à nos voyages au mois de juillet avec mes parents, mon père au volant de la 504, sur les kilomètres de bitume en direction du Sud. Ils adoraient Argelès-sur-Mer. Quand j'étais enfant, nous descendions chaque été vers le Midi par l'autoroute des vacances. Dès la sortie de classe du dernier jour de l'année scolaire, mon père écrivait « fermé pour congés annuels » sur la porte du garage et nous prenions la route. Ma mère préparait des club-sandwichs au saucisson à l'ail et au jambon avec de la coriandre. Elle s'endormait après Lyon. Moi je veillais, calé entre les deux sièges avant, pour mieux voir défiler les kilomètres et entendre les émissions de nuit d'Europe N°1. Il faisait très chaud dans la voiture, la chaleur m'enveloppait.

Je m'approchais de Gréoux-les-Bains. Max Meunier était mort depuis longtemps, mais ses routiers avalaient toujours le bitume. Ils n'avaient plus l'autocollant, mais ils avaient gardé les us et coutumes de l'époque de la radio : lorsque l'un d'eux dépassait, l'autre faisait un appel de phares dès que le camion pouvait se rabattre. Pour le remercier, le premier mettait son clignotant à gauche, puis à droite. Je les doublais et je criais : « Salut routier, bonne route », comme quand j'étais môme. Après Lyon, je m'arrêtai dans une station envahie de poids lourds. Pendant que mon réservoir se remplissait, j'observais les gueules pas rasées, valises tuméfiées sous les yeux. Ils étaient toujours les héros de ma jeunesse, les rois de la solidarité, les rois de toutes mes nuits. Le compteur stoppa sa course sur soixante-quinze euros et vingt-trois centimes. Je souris à la caissière et repris la route. Vers quatre heures, je m'arrêtai pour dormir un peu dans une autre station-essence. J'étais chez moi.

Pour ne pas réveiller ma mère qui avait conservé un rythme de comédienne – elle ne se levait jamais avant dix heures –, je bus mon premier café, en lisant les journaux, sur la terrasse d'un troquet ouvert à cette heure matinale. Ma mère ne ressemblait pas à ces vieux qui ressuscitent à l'aube, pour vérifier qu'ils sont toujours vivants. Dans la rue, certains hommes se retournaient encore sur son passage, mais elle n'avait jamais refait sa vie plus d'une soirée. Elle vivait seule, dans une ancienne grange transformée en appartement, éclairée de jour comme de nuit par deux sources de lumière : la télévision branchée sans le son, et une ampoule suspendue à un fil qui descendait du haut plafond. Au milieu de la pièce, une demi-douzaine de chats et de chiens dormaient paisiblement sur le plaid délavé d'un long canapé. Le parquet était abîmé, entaillé, creusé par endroits, comme celui d'une scène de théâtre. Les murs étaient recouverts de photos de champs de coquelicots, de Venise, de reproductions de tableaux de Miró. Au-dessus d'un buffet noir, l'affiche déchirée de *Love Story* était aussi bringuebalante que ses chaises. Les actualités passaient en boucle sur l'écran de télévision. La pièce sentait bon la pâtisserie. Dans la cuisine américaine, la vaisselle sale traînait partout. Sur une console, des dizaines de boîtes de médicaments étaient éparpillées. Des pilules en tout genre et des petits morceaux d'aluminium, témoins de la prise de nombreuses substances en plaquette, s'amoncelaient sur la table de nuit et sur les draps froissés du vieux lit rustique.

Après m'avoir serré dans ses bras, elle me dit, avec sa voix éraillée, de ne pas faire attention au désordre, que la femme de ménage était malade et qu'elle n'avait pas pu venir cette semaine. Elle me demanda si j'avais fait bon voyage, si j'avais pris un petit déjeuner, si je voulais manger une pâtisserie. Sa passion chronophage pour la préparation de la tarte meringuée à la rhubarbe ne s'était jamais démentie. Elle en cuisinait une par semaine, la même recette depuis toujours, celle que l'on dévorait les dimanches d'été, celle qui n'avait aucune chance d'atteindre le lundi matin.

— Merci maman, je pourrais parcourir des milliers de kilomètres pour cette tarte.

— Justement, tu pourrais faire le tour du monde plus souvent. Ici, tu sais à qui tu as affaire, je te remets dans le droit chemin. Comment va Manuel?

– Il est dans les préparatifs de son voyage aux
États-Unis.

– Ça n'a pas l'air de te faire plaisir.

– Bien sûr que si ! Ce n'est pas facile de l'imaginer si loin,
c'est tout. Comment as-tu réagi quand j'ai quitté la maison ?

– Mal. Je pleurais tout le temps. Tu étais si jeune. Ton
père m'engueulait. À part pour ton linge sale, tu ne venais
plus me voir, mais c'est comme ça la jeunesse. Alberto ?

– Oui, maman.

– T'es sûr que ça va ?

– Je ne t'ai pas dit que ça allait…

Elle ne releva pas. Elle ajouta simplement :

– J'ai changé les draps de la petite chambre, tu peux t'y
installer.

– Merci maman, je vais dormir un peu.

À mon réveil, l'heure du déjeuner était largement dépassée,
celle de l'inspecteur Derrick aussi. Ma mère était partie faire
des courses. Elle avait laissé un mot sur la table de la cuisine :
« La tarte est au frigo. Bisous. Maman. » J'avalai deux œufs
sur le plat, la moitié de la spécialité maternelle et deux grands
verres de San Pellegrino. Je fumai sur la terrasse fleurie. De
là, j'observai la ville, la plaine alluviale, les vignes et les
oliviers. Des hectares de poésie. Je pensais que ma mère avait
eu raison de s'installer ici. Les thermes, le calme hors saison,
le climat, le casino, Édith sa vieille copine cantatrice, les

marronniers, la tapenade du coin, ses lectures, le yoga, le marchand de confiture de melon et les randonnées rendaient son quotidien très agréable. À l'apéro, nous avons ouvert deux Fischer en bouteille. « Hopla Fischer », disait-elle, comme dans la pub des années 1980. Habituellement, je lui apportais plusieurs packs de six, mais cette fois, j'étais parti trop vite pour dévaliser un supermarché alsacien.

Pour le dîner, je l'invitai au restaurant. J'étais très heureux de descendre la rue jusqu'à la Terrasse des Marronniers, bras dessus bras dessous avec ma vieille mère, que je trouvais si belle dans sa robe d'été.

— Et les amours, maman ?

— J'ai soixante-dix balais et des poussières…

— Et alors ? Y'a pas un petit jeune, drôle et sportif, à Gréoux ? Ce matin, j'ai croisé l'Islandais que tu fréquentais cet hiver. Il arrive encore le premier au bistrot ? Il est bien cet homme !

— Très bien oui, je te l'accorde, mais c'est trop tôt… Ou trop tard ?

— Trop tôt ?

— Faut voir…

— Alors y'a anguille sous roche ?

— L'art c'est de faire croire qu'il y a anguille. Que ce soit l'Islandais ou un autre, c'est pareil, je fais quoi avec un gâteux qui sent l'urine et le mauvais alcool ? Je ne suis pas infirmière à domicile. Si j'ai envie de voir du monde, je préfère passer la soirée avec ma copine Édith ou au casino à jouer au poker. Je rentre quand je veux, je dors comme je veux. Je gagne du temps sur le temps, je n'ai pas encore peur de la solitude, tu sais.

Elle s'interrompit brusquement, pour reprendre sa respiration.

– Si un jour je ne suis plus indépendante, tu me trouveras certainement un petit endroit sympa pour mourir…

– Arrête de raconter des…

– On a déjà parlé de ça, Alberto, je reste ici, sur mes deux jambes, et avec toute ma tête, tu comprends ça? Si je suis incapable de…

– Oui, je connais la suite, c'est bon, maman…

– Non, tu ne sais rien de ce fléau. La fin de vie est une horreur pour tout le monde, Alberto. Je rencontre des gens qui ne ressemblent plus à rien. C'est même devenu leur principale qualité. Bon, passons à autre chose, ça me déprime de parler de ça.

– Maman!

– Tu as hérité de ma nature, tu es radieux, jamais lugubre. Mais je sais qu'il y a un truc qui te tracasse.

– Tu veux du vin, on prend un bordeaux?

– Ici? Un bordeaux? Et pourquoi pas un bourgogne pendant que t'y es! Aldo! Le petit rosé de pays de la dernière fois, s'il vous plaît, jeune homme… Il est charmant ce garçon, avec lui, je pourrais jouer le rôle de l'infirmière, un jour ou deux, dit-elle avec un sourire entendu.

— Maman, tu as raison… Je ne sais pas pourquoi au juste… mais je vais mal. Une peur épouvantable m'envahit de plus en plus souvent, n'importe quand. J'ai des angoisses… Je n'ai jamais connu ça…

— C'est ton travail qui te préoccupe ?

— Non, je…

— Aldo, deux salades « Marronniers », s'il vous plaît.

— Il y a tellement longtemps que ça ne m'est pas arrivé…

— De me voir ? Oui, c'est certain…

— Maman, je suis sérieux.

— Et avec Isabella ? Comment ça va ?

— C'est devenu un fantôme, elle fait des heures sup à Bruxelles le week-end, je la croise, c'est tout.

— C'est peut-être normal, au bout de vingt ans, de faire une pause. Isabella a consacré sa vie à sa petite famille, à toi, à Manuel, à ses parents jusqu'à leur disparition, elle a envie de s'occuper d'elle maintenant.

— Mais elle peut le faire près de moi, tu ne crois pas ?

— C'est son choix, Alberto… T'as le cafard ! Ça va passer. Et ta prochaine expo, ça avance ?

— Non.

— C'est quoi l'idée ?

— Une série de portraits. Mes modèles évoqueront un moment où ils ont pété les plombs et les conséquences pour leur avenir. J'enregistrerai les rencontres. J'écrirai un texte pour chacun. Dans la voiture cette nuit, je me disais que je pourrais commencer par toi, si tu es d'accord.

– Tu es dingue ? Photographier une ruine comme moi ?

– Maman, tu es magnifique.

– Tu ne vas pas bien mon fils, tu as perdu ta grande lucidité sur les femmes ! Quand ton père est mort, je le cherchais partout dans l'appartement, je passais d'une pièce à l'autre, avec la frousse et en même temps l'espoir de me retrouver devant lui. Six mois, ça a duré. J'ai cru devenir folle.

– De quoi tu parles, maman ?

– Tu voulais connaître le moment où j'ai pété les plombs, pour ton expo. Voilà.

– Pardon, oui…

– Tu sais que je l'aimais ton père, et ce n'est pas facile d'aimer. Un jour, il est rentré plus tôt que prévu parce qu'il avait, dit-il, senti quelque chose, que j'étais en danger. Moi j'ai dit qu'il avait vu juste, que je venais de m'allonger, que j'avais mal à la tête. J'ai menti, il fallait bien. C'est ça l'amour, tu sais. Il a ajouté : « Si je devais te perdre, je ne pourrais plus respirer. Tu es tellement attentionnée ! Mais il n'est pas comme toi le monde, il est hostile, le monde. » Je lui ai répliqué : « Fais-moi prendre conscience de ses dangers. » Il m'a répondu : « Non, ma chérie, parce que si tu changes, je n'aurai plus le bonheur de te voir comme ça. » C'était au début de notre histoire, j'étais une petite idiote, lui mon prince charmant. Et le temps a passé.

Elle s'interrompit, et resta les yeux dans ses souvenirs. C'est le moment que je choisis pour sortir de ma poche la photo. J'ai vu le visage de ma mère se durcir.

– J'ai besoin de savoir, ajoutai-je.

Le silence était noir. Comme après une injection de morphine. Comme une nuit d'hiver en plein été. Elle me regarda, longuement. On aurait dit Romy Schneider dans cette scène de *L'important c'est d'aimer* : « Ne faites pas de photo. Ne faites pas de photo s'il vous plaît. » Je voulus la prendre dans mes bras, mais je ne pus faire un geste. J'attendais ses mots comme on espère de l'air pur à la suite d'une catastrophe nucléaire. Ses yeux brillaient. Son mascara retenait ses larmes. Après un moment, elle se lança dans un long monologue :

– Alberto, je crois que je peux te dire ce que je t'ai caché pendant de nombreuses années. Je suis désolée de ne pas t'en avoir parlé plus tôt, mais ça m'était impossible.

Elle marqua une pause de plusieurs secondes.

– Tu avais sept ans… J'avais été engagée pour un petit rôle dans une production italienne qui avait choisi Strasbourg pour trois mois. Le long métrage *Il Segreto italiano* n'est jamais sorti en France, il n'a eu aucun succès et reste aujourd'hui introuvable. La vedette était Lucia, une starlette du cinéma italien. Dans le film, elle se déplaçait en

504 cabriolet rouge. Le premier jour la voiture est tombée en panne. J'ai fait remarquer que mon mari était garagiste, j'ai même insisté pour que le régisseur l'appelle. Quand il est arrivé sur place pour la réparation, j'ai vu immédiatement ce qui allait se passer. Ce fut le coup de foudre entre ton père et Lucia. Je me suis dit que ce genre de chose finissait par s'éteindre, qu'elle rentrerait chez elle ou qu'elle rencontrerait un autre homme sur un autre tournage, c'est comme ça les acteurs, ça tombe amoureux sur les plateaux, je suis bien placée pour le savoir. J'ai fermé les yeux pendant trois mois. Cette photo a été prise lors du tournage. Avant de quitter la région, elle a insisté pour que le réalisateur offre la 504 à ton père… C'était elle dans la voiture le jour de l'accident. Leur histoire s'est arrêtée le jour du drame, pas avant, quand Dino a accompagné Lucia à Lyon, sur le lieu de tournage d'une publicité.

J'imaginai mon père avec cette femme, ses yeux cachés derrière ses lunettes sans soleil. Comment ma mère avait-elle pu accepter ça pendant si longtemps? Partir en vacances chaque été comme si de rien n'était, repasser ses chemises blanches et ses costumes, jusqu'au bout? Les raisons de ses absences – ses week-ends pour « affaires » – étaient claires. Un sentiment de trahison serra ma gorge et écrasa mon cœur. Je démêlais les grilles de mon existence, des fêtes de Noël sans lui, sans explication, sans sapin et sans cadeaux. Ma mère me prit la main. Elle cessa de pleurer. Elle ajouta que son destin avait basculé parce que cette putain de bagnole rouge était tombée en panne et qu'elle avait parlé de Dino comme d'un mécanicien à qui rien ne résistait. Pas même les actrices italiennes !

Mon père avait eu une double vie pendant une dizaine d'années. Pourtant ma mère ne l'avait jamais quitté, elle n'avait jamais voulu divorcer. Tout cela me semblait dingue. Je comprenais pourquoi elle avait tant insisté pour s'occuper de l'enterrement, des papiers, de la succession, pourquoi elle avait mis un trait sur sa ville et ses activités professionnelles, une manière pour elle de rester droite. Elle me demanda de ne plus jamais lui parler de cette histoire, de vivre avec ça, sans juger mon père, de ne pas la plaindre. Elle avait choisi, c'était comme ça. Et me caressa la joue avec la paume de sa main, comme quand j'étais petit devant les émissions de variétés de Maritie et Gilbert Carpentier. Nous chantions les tubes de la télévision ensemble après avoir avalé notre assiette de purée Mousline.

Les salades arrivèrent. Nous évoquâmes des banalités essentielles : le début de l'été, les travaux à faire dans sa maison, la voisine nymphomane, l'épicier dépressif, l'épisode de Derrick de l'après-midi, le dernier album de Francis Cabrel, sa passion pour le tournoi de Roland-Garros. Elle ne ratait jamais rien, les grands face-à-face n'avaient aucun secret pour elle.

— Tu te souviens de Vitas Gerulaitis ?

– Très bien. C'était un tennisman américain, un blond aux cheveux longs, à l'époque de Borg et Connors, dans les années 1980.

– Exactement. J'ai entendu une anecdote à la radio : après avoir perdu seize fois de suite contre Connors, il avait enfin remporté un match et avait déclaré en rentrant dans le vestiaire : « Personne ne bat Gerulaitis dix-sept fois de suite. »

– Excellent, conclus-je en essayant de rire, mais j'avais du mal. J'étais obsédé par les révélations de ma mère et je ne savais pas vraiment quoi en faire.

– Je suis fatiguée, Alberto. On rentre ?

Je l'embrassai avant d'aller me coucher. Je ne fermai pas la porte de la chambre pour écouter la vieillesse, au cas où. La nuit avança lentement. Je ne dormais pas. La lumière de l'ampoule du plafond, restée allumée, finit par se confondre avec le soleil pénétrant du matin.

LA TENSION ÉTAIT PALPABLE dans la salle de rédaction, Fischer sur les nerfs, pénible. Un adepte de l'emmerdement maximum. Cette tête de nœud se collait à moi. Je reculai d'un pas pour éviter l'agression verbale et ses odeurs suspectes. Son haleine de rat mort était terrifiante. Il m'agressa littéralement, en critiquant la photo de la maquette qui venait d'arriver sur son ordinateur. Ce n'était pas ce qu'il avait demandé. Il aurait pu invoquer n'importe quoi, inventer n'importe quel défaut, déplorer le manque de couleurs sur un cliché noir et blanc pourquoi pas, ou affirmer que la qualité de l'image laissait à désirer. Sa mauvaise foi était une religion. Il était imperturbable :

– Fais simple, c'est tout. Et, *in fine*, la vie sera belle. Va voir le planning, tu as du boulot.

Je n'admettais ni ses bassesses, ni ses familiarités, ni sa façon de prononcer *in fine*, un terme qui revenait au moins toutes les heures dans sa bouche de chacal, au même titre que « taux d'intérêt, audience, argentier, qu'est-ce qu'on aurait dit si, je pars du principe que… ». « Si quelqu'un part du principe, laissez-le partir », avais-je chuchoté à la fin de la conférence de rédaction. Le désir d'encadrer cet étron entre quatre murs me démangeait comme une piqûre de moustique. Mais, avec la crise au journal, Manuel bientôt à New York et Isabella qui s'échappait, je n'avais aucune envie d'ajouter un licenciement pour faute grave sur la liste des convulsions. Je fixai froidement mon rédacteur en chef, droit dans les yeux, le message était si clair que Fischer put y lire : Pauv'merde. Sa réponse fut tout aussi limpide : Je t'attends au tournant, Caruso, on va bien s'amuser maintenant.

Je passai le week-end suivant à Paris. Antoine TX, mon plus vieil ami, fêtait son anniversaire à quelques kilomètres de la capitale. Gare de l'Est, je pris ma place dans la file d'attente des taxis. Un homme aux cheveux longs, poivre et sel, chantait *Summertime*. Je montai dans une voiture.

Dans un château loué pour l'occasion par Antoine et son épouse Catherine, je croisai des personnalités des médias, de la politique, du sport, des plateaux de macarons, des coupes de champagne et un travesti. Rien qu'avec ses yeux, il éclatait les caleçons des garçons. Une centaine de bobos gentiment imbibés, tribu réconfortante, de toutes les couleurs, dansaient sur les tubes du groupe Muse. Les parfums de femmes se mélangeaient. Je respirais l'air pur de l'aventure terrestre. Le soleil tomba dans le ciel rouge. Je terminais une gauloise bleue, assis sur le grand escalier extérieur, lorsqu'un bruit de moteur attira mon attention. Une fille d'une trentaine d'années arrivait, sans casque, sur une Vespa. Elle portait une robe de soirée très chic. Elle descendit de son scooter et fit une entrée magistrale dans la salle de bal, comme une actrice sur les marches du palais des Festivals.

— Tu as l'habitude d'inviter des créatures gracieuses et romantiques, mais là, tu dépasses les bornes, Antoine.

— Explique-toi!

— Cette fille! Qui est-ce?

— Lola Franchini? J'étais convaincu que tu la connaissais. Sa mère jouait pour l'orchestre philharmonique, elle est restée en Alsace. Lola se bat pour la survie des ours polaires sur la banquise, elle a écrit plusieurs livres sur le sujet. Je crois qu'elle prête sa voix à Arte. Elle fait beaucoup de choses, des romans aussi. À ma connaissance, il n'y a pas d'homme dans sa vie, je veux dire rien de sérieux. Un sacré tempérament.

— Elle a du feu dans le regard.

— Carrément stratosphérique. C'est ton genre, non?

— Je te rappelle que je suis marié.

— Alberto, éclate-toi. Pour une fois!

J'avais justement envie de m'amuser. Les mots d'Antoine m'ont ouvert la voie. J'avalai un verre de plus, un verre de trop, le verre pour me laisser glisser dans la nuit comme dans de beaux draps. Je reluquai discrètement le cul de Lola

Franchini une bonne partie de la soirée, je dansai, j'écoutai vainement des conversations, je picolai, je redansai, je repicolai, je reregardai le cul de Lola Franchini. Au bout de quelques minutes, elle passa de l'autre côté des platines. Elle enchaîna les bières et les titres de Police, U2, Blondie, quelques succès de Dance Music. Une femme DJ, je trouvais ça très séduisant. Je gigotai jusqu'à cinq heures du matin. Sur le dernier morceau, un couple s'enlaçait, le travesti faisait affaire avec un journaliste, je bâillais sous la lune.

— Lola, on te dépose à Paris ? proposa Antoine.

— Non merci, j'ai un scooter.

— Alberto, tu veux bien la raccompagner ? Je préfère qu'elle prenne la route avec toi.

— Si elle est d'accord…

— Elle est d'accord. Prudence les amis. Merci, bon weekend. *Bye bye*, avait dit Antoine en claquant la portière de sa vieille Mercedes blanche.

— Prochain rendez-vous pour le vernissage de l'exposition des sculptures d'Antoine sur les Champs, je vous envoie l'invitation dès demain, ajouta Catherine avant d'embrasser Lola et de monter à son tour dans la voiture.

Antoine démarra en trombe. Le travesti sortit du château, seul. Le couple du dernier morceau s'enfonça dans la forêt. Assise sur les marches en pierre, Lola alluma une cigarette et s'adressa à moi :

— Je déteste ce genre de fête, les mecs qui draguent dans ces soirées. Je suis venu pour Antoine et Catherine, c'est tout. J'ai envie d'aller voir la mer, pas vous ?

— Maintenant ?

— Qu'en pensez-vous ?

— Je vous ramène à Paris, c'est déjà pas mal.

Sur le scooter, elle eut froid. Ses bras serraient ma taille. Je sentais ses seins comprimés dans mon dos. Elle s'accrochait à moi comme à un amoureux sur une Harley Davidson. Dans Paris, Lola réveilla un chauffeur de taxi endormi.

— Nous allons à la mer, monsieur, s'il vous plaît.

— Oui bien sûr, et moi, je suis Joe le taxi, répondit l'homme dans un demi-sommeil.

— Alors, monsieur Joe, vous allez partout ? Direction la mer la plus proche, mon ami et moi avons très envie de nous baigner.

— OK, c'est bon. J'ai déjà nettoyé les sièges cette semaine, ça suffit les alcoolos mondains…

— S'il vous plaît, emmenez-nous à Deauville, monsieur Joe, insista Lola, c'est à deux heures d'ici.

— Tirez-vous maintenant, j'ai terminé mon service et j'ai sommeil tout'façon, je vais rentrer chez moi.

— Pas sympa Joe le taxi… Joe le taxi, y va pas partout… Y marche au soda, celui-là.

J'étais fatigué, encore un peu saoul, mais ravi d'avoir fait la connaissance de Lola Franchini dans les reflets magnifiquement colorés de la nuit parisienne. La rue Monge était déserte. J'ai tourné à gauche, rue des Écoles.

– À ton avis, à ce rythme, on a besoin de combien de temps pour atteindre la plage de Deauville ? Cinq ou six jours ?

– Arrête-toi là, ordonna Lola.

– Où ?

– Ici. C'est mon hôtel.

J'ouvris les yeux dans des draps blancs à peine froissés, la bouche pâteuse, avec une casquette plombée sur le crâne. L'état de grâce de la veille n'était plus qu'un vague souvenir. Il me fallut fournir un véritable effort de concentration pour me rappeler dans quelle ville le soleil s'était couché longtemps avant moi. Un parfum féminin flottait dans l'air. Une clé dorée, numéro vingt et un, était posée à côté de mon paquet de cigarettes. J'en allumai une que j'écrasai aussitôt. Sous une douche rapide, je repensai à Lola Franchini. J'avais, pour la première fois, fini la nuit avec une autre femme que la mienne. Avant de nous endormir, elle avait déposé un baiser sur mes lèvres. Rien de plus. Dino et Lucia avaient-ils commencé leur histoire de cette façon, avec un seul baiser, ou avaient-ils fait l'amour le premier soir, sans la moindre pensée pour ma mère, pour l'autre vie, la mienne, qui s'ébranlait déjà? Quel genre de questions est-il légitime de se poser lorsqu'une femme comme Lucia ou Lola entre dans le quotidien d'un homme marié? Je quittai l'hôtel avec deux envies : prendre un café dans le premier bistrot du coin et revoir Lola Franchini. Dans le TGV Est, les guerriers surentraînés de la grande armée de la culpabilité marchaient au pas pour me faire la peau.

Des faisceaux de lumière s'écrasaient sur le parquet en bois et les kilims rouges usés du salon. J'ouvris les fenêtres pour laisser entrer le vent du samedi matin et absorber l'air quelques minutes, le visage dans un rayon de soleil. Dans mon immeuble, les arômes du déjeuner se mélangeaient déjà, on devinait les saveurs des tables voisines. Mme Weber réchauffait des plats préparés et micro-ondables. Sur le balcon de la cour intérieure, elle arrosait ses plantes d'une main et chassait une abeille de l'autre. Célibataire, la soixantaine bien frappée, elle portait les épreuves de la vie et une robe à fleurs de toutes les couleurs sur sa peau abîmée.

— Monsieur Caruso, bonjour!

— Bonjour madame Weber. Comment ça va ce matin?

J'étais sur le pas de la porte. Pour la saluer, j'avançai d'un mètre. Je me retrouvai dehors, dans le plus simple appareil, très en forme, comme si je m'apprêtais à jouer la première scène d'un porno. « C'est pas vrai, quel mufle », marmonna ma voisine en rentrant dans sa cuisine, choquée par mon anatomie immensément matinale, elle qui n'avait pas vu de X, sauf en double sur l'étiquette de ses vêtements tapageurs, depuis l'invention du cryptage télé.

Isabella avait filé depuis plusieurs heures, un petit mot m'indiquait que le toaster années 1930 ne fonctionnait plus. J'avais remarqué, ça faisait six mois. Le grille-pain termina sa vie à la poubelle, comme le beurre et les yaourts Mamie Nova périmés.

J'allumai une plaque chauffante, versai un filet d'huile d'olive parfumée à la truffe dans une poêle. Je cassai des œufs. Après, j'installai une dosette dans la machine à espresso, j'attrapai mon Borsalino et improvisai des pas de danse sur *Life on Mars*, le tube de David Bowie diffusé à la radio. J'avalai un jus de mangue, des tranches de jambon Serrano, puis mes œufs au plat sur toasts non toastés. L'arabica coula dans une tasse rouge en céramique, j'ajoutai un sucre. La journée passa, ni plus ni moins.

Je restai dans ce silence oppressant, je ne répondis à aucun coup de téléphone, à aucun e-mail, la solitude ne se partage pas. En fin d'après-midi, je descendis acheter un grille-pain. Il plut dans la soirée.

Dehors, il y avait des chats mouillés, et une pute qui improvisait des tours de passe-passe sous un parapluie. Les feux de signalisation n'allaient pas tarder à clignoter en orange. Les phares des voitures déchirèrent l'obscurité. Je regardais la ville en fumant derrière les carreaux ruisselants. Je pensais à Lola Franchini, mais je rognais l'image, elle s'éloignait, se troublait. La pluie redoubla. Puis, d'un coup, elle cessa. Cinq clochards marchaient sur les rails du tramway. Avant de me coucher, je passai mon doigt sur le haut du cadre de la photo d'Isabella et moi à l'Opéra, pour enlever la poussière. Je relevai mes courriels, consultai mes messages et acceptai des intimes des temps modernes comme amis sur Facebook. Je tapai « Lola Franchini » sans obtenir de résultat. J'écrivis : « La nuit est belle. » Un commentaire d'une fille que je n'avais jamais rencontrée arriva immédiatement sous mon statut : « Elle est sauvage. »

Une lampe rouge éclairait faiblement la pièce. En observant notre lit vide, la place laissée par cette femme que j'avais toujours aimée, je vis son corps nu allongé sur le ventre, son dos, ses fesses, ses jambes… Elle dormait paisiblement, mais ailleurs. Je songeai à nos vingt ans d'amour, à nos existences liées à jamais. La seule réalité qui m'importait était cet amour-là, ce génome que nous avions élaboré au mépris du danger. Notre couple était-il sujet à la dégénérescence de ses propres cellules ? Rien, presque rien, ne s'était passé avec Lola Franchini, mais tout de même, pourquoi avais-je accepté de monter dans cette chambre d'hôtel ? Et Isabella ? Avait-elle un amant ? Savoir si elle me trompait ne m'intéressait pas. Nous étions heureux depuis si longtemps, et j'étais assez d'accord avec Cyrano de Bergerac qui préférait être cocu que jaloux. Au bout de vingt ans, il est délicat de laisser l'autre embarquer pour une aventure. Le contraire serait de l'imprudence.

Je finis mon week-end en solitaire comme je l'avais commencé. Dans la cuisine, je bus un grand verre de lait, je jetai deux œufs dans une poêle chaude. Le nouveau grille-pain s'occupa de mes tranches de vie.

≈

Isabella avait terminé sa saison de radio à Bruxelles. Devant une émission de télévision et un pot d'Häagen-Dazs Macadamia Nut Brittle, un soir, je lui proposai de vendre notre maison. Pour la provoquer, j'affirmai que j'avais envie de tout quitter, pour le Maroc par exemple, que j'en rêvais depuis des années. Avec Manuel à New York, mon avenir au journal qui ne tenait qu'à un fil, c'était le bon moment. En écrasant une cigarette dans le cendrier, Isabella me répondit qu'elle ne savait pas que je rêvais de ça, qu'il y avait un truc qu'elle ne comprenait pas. J'ajoutai d'une voix presque agressive que je comptais bien partir.

– Si je pars, tu viens avec moi?

Notre vie entière nous avions réfléchi à deux, respiré à deux, mais à cette seconde précise, je doutais du paradis, je résonnais seul. Isabella sembla encaisser le coup. Elle attrapa nerveusement son paquet de cigarettes. Le silence se fit dans la pièce, un silence qui en disait long. Assez sèchement, elle m'interpella à son tour, me demandant si je souhaitais boire un thé. Je répondis non, froidement. Elle versa l'eau brûlante dans une tasse rouge en céramique, l'entoura de ses mains en l'approchant de sa bouche comme si la température avait baissé, puis elle s'installa en face de moi.

– Tu n'es plus le même, Alberto.

Je répliquai que ce n'était peut-être pas moi qui avais changé, mais nous, notre vie, notre façon de faire attention à l'autre. J'avais l'impression de me justifier, que mes mots, étrangement, étaient un aveu de faiblesse.

Quinze jours plus tôt, j'avais laissé sur le meuble de la cuisine, au milieu des factures et papiers administratifs en souffrance, l'invitation pour le vernissage d'Antoine. Elle ne m'en avait pas parlé. Je savais qu'elle ne m'accompagnerait pas, je n'avais même pas fait semblant d'en être affecté.

❧

Les nouvelles créations d'Antoine impressionnèrent le seul journaliste accrédité avant l'ouverture des portes. Son article, imprimé sur un joli papier cartonné mauve et distribué à l'entrée, en échange de l'invitation, était dithyrambique : « Les pièces de la collection d'Antoine TX sont des messages cryptés destinés aux yeux des plus belles créatures du monde, son style est si personnel et libre qu'il révolutionne son art. A. TX est en passe de devenir le Rodin du XXIᵉ siècle. »

Catherine avait orchestré l'organisation, comme d'habitude. L'appartement, loué pour la durée de l'exposition, était situé au dernier étage d'un immeuble des Champs-Élysées, avec une vue imprenable sur Paris. Elle avait engagé le meilleur traiteur de la place, avec serveurs tirés à quatre épingles et petits-fours qui en imposaient. Une chanteuse interprétait des titres de Billie Holiday, accompagnée d'un violoniste. Un pianiste ne lâchait pas des yeux ses quatre-vingt-huit touches. J'espérais la présence de Lola Franchini. J'avais vu son nom sur la liste des invités. Sur la terrasse, les gens papotaient. Il y avait là des figures de la jet-set, des stars de la télévision. Je me demandais ce qu'ils pouvaient bien trouver à se dire dans toutes ces soirées, une fois qu'ils avaient affirmé que le marché de l'art contemporain se portait à merveille, que les riches de plus en plus riches investissaient massivement, que les galeries étaient de moins en moins fréquentées, que l'on risquait un contrôle fiscal en exposant des œuvres personnelles, que les galeristes préféraient les foires, même si elles ressemblaient parfois à des vide-greniers. À part ça ? Les affaires évoquées dans les journaux télévisés alimentaient la suite des conversations.

L'exposition remporta un immense succès, certains visiteurs furent bouleversés par le travail d'Antoine, par ses sculptures, réalisées en à peine une année. Les pièces de fer et de bronze trouvèrent toutes preneurs, les convives, riches pour la plupart, les réservèrent au premier coup d'œil. Mon pouls s'accéléra lorsque Lola apparut dans une robe de soirée incendiaire, fendue jusqu'au nombril. Elle était accompagnée d'un homme élégant, sans chaussures, à la crinière rasta. Yannick Noah? Putain, c'était Yannick Noah! Leur entrée ne passa pas inaperçue. Les photographes officiels avaient trouvé leur proie et ne lâchaient plus les tourtereaux. Des invités jouaient les paparazzis avec leur téléphone portable. Antoine et Catherine embrassèrent Lola puis Noah. J'observai la scène froidement, accoudé au blues du piano. Je laissai passer l'orage et un plateau de toasts au foie gras, avant de sortir prendre l'air. La lumière avait fléchi. Je pensais quitter la soirée lorsque je sentis une présence dans mon dos.

— Bonsoir.

— Oh, c'est vous!

— C'est moi oui, la fille de l'autre jour. On ne peut se croiser qu'à Paris, me semble-t-il.

— C'est vrai, approuvai-je en souriant et en me demandant quoi ajouter à cette réponse aussi mince que sa taille de guêpe.

Je faillis dire que j'étais comme l'homme invisible, mais à cet instant, je m'interrogeai : était-il habillé ou pas cet homme-là sous son invisibilité? Et si oui, où trouvait-il ses vêtements? Comme ça n'avait rien à voir avec l'idée qu'une femme du standing de Lola pouvait se faire d'un début de conversation dans une soirée mondaine, je me tus.

— Quand êtes-vous arrivé? demanda-t-elle.

— À Paris? Il y a une heure.

— Vous restez longtemps?

— Une nuit.

— Et demain?

— Je vous emmène à la mer?

— Si nous trouvons le vrai Joe le taxi cette fois!

— Oui Lola, ou si l'on ne s'endort pas dans une chambre d'hôtel. Voulez-vous un verre? Si ça ne dérange pas votre chevalier servant?

— Oui. Une coupe de champagne.

Après, je lui proposai de fumer, elle accepta et toucha ma main lorsque je craquai l'allumette pour protéger le feu du vent.

— Le crépitement de la cigarette entrant en contact avec la flamme est l'un des phénomènes terrestres les plus romantiques, vous ne trouvez pas?

— Je l'ai croisé en bas.

— Pardon?

— Noah! Je ne le connais pas. Nous sommes arrivés ensemble, mais je ne l'avais jamais rencontré. On a pris l'ascenseur au même moment, c'est tout!

Lola était très belle, elle m'attirait. Je pensai à mon amour pour Isabella, qui n'était plus un frein. Lola le devinait, mais je refusais de me laisser embarquer dans cette histoire. Je trouvais même réconfortant de n'avoir pas fait l'amour avec elle, quelques jours plus tôt. J'enchaînai les coupes de champagne comme de l'eau plate à la fin d'un marathon. Antoine profita de la pause des musiciens pour prendre le micro, remercier les invités et les partenaires du vernissage, et donner rendez-vous à New York. Il n'en rajouta pas, des propos à l'image de la soirée, sans fausses notes. Une réussite de plus dans la carrière de cet artiste que le Tout-Paris de l'art contemporain s'arrachait. Lola resta près de moi. À la fin des applaudissements qui honoraient Antoine, j'eus envie de partir. Lola me proposa de l'accompagner plus loin. J'hésitai, mais je la suivis.

Elle me guida vers le toit de l'immeuble, accessible par une simple échelle. Paris était encore plus extraordinaire un étage plus haut. La lune, ensoleillée, brillait au milieu des étoiles. Lola s'approcha, puis elle déposa un baiser sur mon front, un baiser qui signifiait « nous pouvons en rester là si tu veux », mais qui incitait à faire l'inverse et à la prendre, là, au-dessus de la plus belle avenue du monde. J'inspirai profondément. Je la désirais. Elle posa un doigt sur ma bouche et la caressa. Je perdis le contrôle quelques instants, une force électrique me parcourut le corps. Je vacillai. Ses lèvres se déplacèrent dans mon cou. J'avais envie qu'elle aille plus loin, j'avais envie de devenir quelqu'un d'autre, mais je la repoussai doucement, sans oser la regarder, en ayant la sensation de me délivrer du mal. Pour redescendre, j'empruntai l'échelle d'accès au toit comme un pompier de Paris appelé d'urgence. Elle tenta de me rattraper. En bas, je montai dans un taxi. Sur les Champs-Élysées, les feux arrière de la voiture se mélangèrent aux lumières qui scintillaient jusqu'à la Concorde.

AVEC BENJAMIN, CE JOUR-LÀ, nous allions tenter l'ascension du Mont-Blanc. C'était exactement ce qu'il me fallait, un défi pour me prouver que je n'étais pas encore un vieux con glissant aveuglément sur la piste noire de la deuxième partie de sa vie, ni un vieillard vidé de ses forces. Le nombre de morts par an dans ce massif, une vingtaine, était une statistique que mon inconscient avait balayée quelques mois auparavant, au cours d'une soirée raclette très arrosée entre voisins. Benjamin avait prétendu qu'il était capable de faire l'ascension sans préparation spécifique, en comptant juste sur sa forme physique de l'instant. Il connaissait un super guide, j'avais accepté sa proposition, sans la moindre hésitation, malgré le regard réprobateur d'Isabella.

On roulait depuis près de trois heures. Je somnolais dans la voiture au moment où la ville de Martigny s'éloignait dans le rétroviseur. La montre numérique du tableau de bord indiquait 00.21, Benjamin commençait à enchaîner les virages de la montagne suisse sur le bitume sec, sous un ciel étoilé. En juillet, l'itinéraire n'était pas très emprunté à cette heure-là. La vitesse ne l'empêchait pas de discuter avec Pierre, notre guide, un alpiniste chevronné, l'un des meilleurs Français, un montagnard cador au palmarès éloquent : une quarantaine de montées au sommet du Mont-Blanc et une dizaine de huit-mille dont l'Everest à deux reprises. L'expédition s'annonçait sans risque avec ce sage devant l'immensité de la nature. À deux heures du matin, Benjamin coupa le moteur sur un parking au-dessus de Chamonix. L'eau d'un ruisseau était le seul bruit qui brisait le silence de la nuit noire. Le programme établi par Pierre n'offrait aucun confort. Pas d'hôtel, juste un lit de fortune dans la voiture. Il avait été formel, si nous respections ses consignes à la lettre, tout serait parfait. C'était lui le grand chef de l'expédition sur le toit de l'Europe.

Benjamin et Pierre ronflaient comme deux fourgons à bestiaux, je n'ai pas trouvé le sommeil avant quatre heures du matin. Moins de deux heures plus tard, notre mentor vérifiait déjà le matériel avec la précision d'un horloger. Le piolet, les crampons, les bâtons de ski, le casque, les lunettes de soleil, les gants, le bonnet, et l'eau dans le sac à dos à laquelle il ajouta une poudre, gorgée de vitamines et de sels minéraux.

– Vous avez deux litres et demi chacun, il faut tout boire, petit à petit, avant notre première étape à trois mille huit cents mètres. N'hésitez pas à vous désaltérer, même si vous n'avez pas soif. La montagne est plus forte que nous les gars, n'oubliez pas ça. Mangez un morceau maintenant, et gardez les barres protéinées et les compotes de fruits à proximité, surtout pas au fond du sac. Dans vos poches, pas au fond du sac ! Et buvez les amis, buvez, expliqua Pierre.

J'avais envie d'un œuf sur le plat et d'un petit espresso, mais non, pas le temps.

– Les gars, c'est parti, n'oubliez pas que la montagne est plus forte que nous, lança une fois de plus notre guide avec un accent à couper au couteau suisse.

Après un court trajet en tramway, à deux mille trois cent soixante-douze mètres, le Nid d'Aigle était le point de départ de l'escalade. La météo n'était pas au grand bleu. Dans une partie du ciel, de gros nuages noirs menaçaient le bon déroulement de l'expédition. Pierre était à fond dedans, Benjamin avait le sourire et le stick aux lèvres.

– Alors, c'est pas beau les sommets vus d'ici ?

– C'est magnifique. Magnifique, Pierre.

– Magnifique, Pierre.

– N'oubliez pas de boire, les garçons.

Le temps changeait très vite. À Tête-Rousse, à trois mille deux cents mètres d'altitude, il faisait froid, nos organismes commencèrent à souffrir. Pour monter six cents mètres plus haut et faire une longue pause au refuge du Goûter, il fallait affronter un terrain très accidenté. Ce n'était plus de la promenade, mais de l'escalade pure et dure.

Déjà six heures d'efforts, mal au crâne. Je n'avançais pas. Benjamin n'était pas au mieux. Trop tard pour faire demi-tour, nous devions arriver avant la nuit.

— Allez les gars, buvez, c'est très important. Alors la montagne c'est fort, non? ajouta Pierre en haussant le ton.

Le brouillard nous empêchait de voir à plus de deux mètres. D'un coup, je ne me sentis plus de taille. Lorsque j'aspirais le liquide de mon sac à poche d'eau, j'éprouvais beaucoup de difficultés à reprendre ma respiration et poursuivre mon effort.

— Il ne faut pas juguler les gars. En avant.

Juguler? OK, Pierre, OK. J'étais dans un état de délabrement avancé. Le mal de la montagne et les gouttes de sueur glacées que mes vêtements de pauvre amateur peinaient à évacuer étaient devenus insupportables. Pourquoi m'infligeais-je ce truc? Je poussais des hurlements pour que mes jambes bougent, des soupirs pour progresser mètre après mètre. Mes cris résonnaient dans cette maudite montagne plus forte que moi. Le brouillard était de plus en plus dense. Chaque effort était une douleur violente que les Doliprane 1000 n'allégeaient pas. Sur tout le parcours, on découvrait des plaques commémoratives accrochées dans les rochers. Les statistiques des disparitions prennent-elles en compte les arrêts cardiaques ou les types qui décident d'abandonner et meurent de froid sur place? Je comprenais pourquoi les chutes de plusieurs centaines de mètres étaient possibles, pourquoi ce stupide massif vole une vingtaine d'âmes chaque année. Un moment de déconcentration et *adios amigos*. Enfin, la voix de Pierre, aussi à l'aise qu'au réveil :

– On y est les gars, bravo.

Mais il fut formel, notre état physique et les mauvaises conditions météorologiques annulaient tout espoir de réussir l'ascension au sommet.

Au refuge, nous fûmes incapables de parler ni de manger. Pierre avala nos portions de lentilles saucisses en discutant avec les voisins de table de leurs différents exploits et des disparus de la semaine précédente. Pendant la nuit, je cherchai ma bouteille d'eau comme un masque à oxygène, ma tête me faisait souffrir à chaque battement de cœur. J'aurais donné n'importe quoi pour ne pas être ici, coincé dans un donjon enneigé avec l'impression de mourir à petit feu.

Le lendemain, sous un soleil radieux, mon mal de crâne disparut pendant la descente. J'allais mieux, mais au moment de poser le pied sur un premier rocher intermédiaire, puis l'autre, quatre-vingts centimètres plus bas, un crampon accrocha la roche. Je n'eus le temps ni de réagir ni de crier. Je me retrouvai suspendu dans le vide au-dessus d'une crevasse de cinquante mètres de profondeur. Les deux autres firent contrepoids en tirant sur la corde. Tout se déroula en quelques secondes.

– Ça arrive aux meilleurs, dit Pierre avec un sourire éclatant. En montagne, si tu tombes c'est la chute, si tu chutes c'est la tombe. Tu as eu de la chance, Alberto.

J'étais venu voir la mort de plus près, de plus haut. La rencontre n'avait pas eu lieu, mais cette mésaventure changea quelque chose dans mon comportement. J'avais désormais une vision plus juste de la fragilité de l'existence.

APRÈS UNE SOIRÉE MACADAMIA Nut Brittle, j'avais déniché sur Internet une location pour deux semaines à Argelès-sur-Mer. Isabella trouva l'idée formidable, surtout lorsque Manuel accepta de venir avec nous, juste avant son départ pour New York. Il invita Charlotte, sa fiancée, mignonne comme un cœur. Vingt ans, l'âge des illusions éclatantes, des dents blanches et des envies d'amour pour la vie.

Je n'étais jamais revenu ici, depuis mes vacances avec mes parents. C'était dans un coin de ma tête, mais j'avais oublié le sable chaud sous le soleil de midi, Géronimo le marchand de glaces à l'italienne et son parfum Grand Marnier, l'avion publicitaire dans le ciel azur de la plage, le minigolf, les manèges, la chaleur écrasante, et le vent méditerranéen qui s'engouffre dans le bois de pins. Les étés de mon enfance avaient le goût des beignets à la crème et des boules de chewing-gum multicolores. Je retrouvais les bruits et les odeurs des distributeurs à un franc, de mon canoë en plastique rouge, du minitrain traversant le centre-ville et de mon canard jaune gonflable. Il y avait aussi des photographes qui arpentaient la station pour vendre leurs images. Ils portaient des jeans troués, des tee-shirts blancs et des Converse usées. Ils laissaient leur carte avec un numéro pour que les vacanciers viennent le lendemain acheter leurs souvenirs en noir et blanc. Je les admirais, pensant qu'ils faisaient un métier incroyable. Ma passion pour la photographie était née là, à Argelès-sur-Mer, devant le panorama imprenable sur la montagne, vers Port-Vendres, le phare de cap Béar, Collioure et la frontière espagnole. Chaque grain de sable était à la même place, avec vue sur les bouées du large et les drapeaux verts ondulant doucement sur la plage.

Nous avons marché dans les rues piétonnes minuscules, gorgées de magasins et de restaurants de saison. Cette partie de la ville avait beaucoup changé, comme retravaillée sur Photoshop. Un bar à tapas avait remplacé la crêperie que j'avais si souvent vue dans les albums chez mes parents. À deux pas, il y avait Géronimo, le glacier, mais il avait reçu un coup de trop dans le cornet. Son petit commerce avait disparu au profit d'une succursale aux mille saveurs, plus de Grand Marnier, mais à la place un parfum Schtroumpf qui laissait des traces bleues sur le bord des lèvres, comme des cristaux de sulfate de cuivre hydraté. Isabella avait lu dans mon regard un peu de ma candeur d'enfant, c'était ses mots, le premier soir.

J'avais l'objectif ambitieux de retrouver une forme physique décente pour ne plus souffrir lors d'un effort inhabituel, comme une montée en altitude. Manuel m'accompagna chaque jour. À notre retour, je faisais tourner une machine et couler du café.

— C'était carrément une bonne idée de venir ici, elle est sympa cette ville. On est sortis hier soir, y'a une belle ambiance pour faire la fête, déclara Manuel au moment où j'avalais mon deuxième croissant au beurre, face à la mer calme du matin.

— Oui, moi aussi, j'adore toujours cet endroit, il est chargé d'histoires. Il y a tous mes souvenirs d'enfance ici. Tu sais, j'ai passé toutes mes vacances d'été à Argelès-sur-Mer avec tes grands-parents. On descendait en 504, on roulait de nuit…

— C'est pas vrai! C'est dingue, tu n'avais jamais parlé de ça!

— Je suis sénile pendant que tu y es!

— Mais non, mon petit papa, tu es carrément répétitif, c'est tout.

— Quelle ingratitude! dis-je en souriant.

— Je suis ton fils, les chats ne font pas des chiens.

— Manuel, tu dois me trouver bizarre ces temps-ci. Mais…

— Je sais que ça ne va pas fort entre maman et toi, mais vous en avez vu d'autres.

71

J'allais simplement lui confesser que ma carrière prenait une tournure différente, que ça me perturbait, que j'étais fatigué après cette saison compliquée au journal. Je n'avais pas imaginé que Manuel me permettrait d'accréditer une thèse qui me sautait aux yeux depuis le début des vacances : mon couple était au plus mal. C'était limpide. Isabella passait ses congés avec son téléphone portable, pas avec moi. Au bout du fil, il y avait un homme. Peut-être le mystérieux directeur de radio en Belgique, celui qui lui proposait régulièrement du travail le week-end et lui avait promis une émission pour la grille de septembre. Il avait le profil. Intuition masculine. Elle semblait ailleurs, s'isolait, envoyait des SMS par cargos entiers.

— Ta mère t'a parlé de nous?

— Non, non... Un peu... Elle dit que tu es dans ton truc, tes photos, etc. Distant. Un peu comme ici depuis le début des vacances.

— Tu me trouves... distant? questionnai-je avec étonnement.

— Pas avec moi. Avec elle. Oui.

— Moi, je suis distant? Je ne suis pas d'accord du tout, mais bon... Si elle le dit... Et toi, Manuel? Toujours heureux de partir?

— Carrément.

— Tu m'appelleras?

– Oui papa. Je vais faire un disque à New York, pas élever des yacks au Tibet. J'aurai un téléphone, un ordinateur, une chambre d'hôtel, un room-service, de l'électricité... Tu vois?

– Bien sûr... Fous-toi de ma gueule... Manu, si tu as le moindre souci, je prends le premier avion...

– T'en fais pas papa, tout ira bien, y'aura pas de galère. Mais viens, viens de toute façon. Il serait temps que tu le fasses ce voyage, depuis des années que tu en parles. Tu te rends compte que je vais découvrir New York avant toi?

– Tu me manqueras!

– Toi aussi, papa.

Le silence s'immisça dans la conversation, renforçant notre émotion. Je posai ma main sur l'épaule de mon fils.

– Papa...

– Oui.

– Essaye d'être sympa avec maman, d'accord?

– Je suis sympa. Très sympa même. Je ne l'ennuie pas avec mes problèmes. Elle vit sa vie, elle n'a pas de comptes à rendre. Je ne serais qu'un crétin s'il en était autrement. Et toi? Comment ça se passe avec Charlotte?

– Très bien. J'ai du mal à imaginer que dans quelques jours je serai loin d'elle.

– Tu reprends un café?

– Merci, oui... Dis-moi, elle fait un drôle de bruit la machine à laver, non?

— Tu trouves ? Oh, merde, j'ai laissé mon portable dans la poche de mon short.

❧

Vers vingt-deux heures, lorsque le thermomètre descendait un peu, nous dînions tous les quatre. Au début du repas personne n'était très loquace. Chacun semblait perdu dans ses pensées : Manuel à New York avec sa musique, Charlotte à Paris pour la rentrée universitaire, Isabella à Bruxelles avec son directeur des programmes, je le supposais, et moi, c'était comme si j'étais toujours dans le massif du Mont-Blanc, suspendu à cette corde, au-dessus du vide.

Le dernier soir arriva très vite. Manuel et Charlotte étaient sortis. Je fumais cigarette sur cigarette sur la terrasse qu'éclairaient la pleine lune et des bougies parfumées. La nuit s'allongeait sur les vagues. Isabella dévorait un roman de Philip Roth avec des yeux de chat, en petite tenue dans une chaise longue. Elle alluma une Marlboro. Aux aguets, j'en ai profité pour prendre la parole :

— Isabella ! Tu te rends compte que ce sont nos dernières vacances avec Manuel…

— Pourquoi tu dis ça ?

— Pour rien…

— Je suis persuadée qu'il aura envie de venir avec nous l'année prochaine. On pourrait louer une maison chaque été, si tu veux?

— À vingt ans, on part au soleil avec ses amis, pas avec ses vieux, tu ne crois pas? À propos, as-tu réfléchi à mon idée de quitter la France?

— Non... Pas encore... Un peu...

— Un peu?

Isabella tira sur sa cigarette et replongea son regard dans son livre. Après un moment interminable, elle leva la tête, puis affirma que trois mois auparavant elle m'avait parlé d'une proposition de sa station à Bruxelles, qu'Est Radio lui avait confié l'animation des nocturnes et qu'elle n'avait aucune envie de se coucher à trois heures du matin. Je certifiai avec une réelle mauvaise foi qu'elle ne m'avait rien dit, en jouant sur une corde sensible, sur un sujet qui avait toujours constitué chez elle un point fort, ses bons choix, tout à fait cohérents, tout à fait justes.

— Si j'ai bien suivi, tu envisages de quitter du jour au lendemain une radio qui te fait vivre depuis plus de dix ans pour un job douteux en Belgique?

— Pourquoi douteux? Si on partait habiter ailleurs, ce serait pareil!

— Ça n'a rien à voir Isa, tu mélanges tout.

— Je ne crois pas, non, justement... Et...

— Et?

— Et Bruxelles, ça m'intéresse.

— Et?

— Je pense que… J'ai réfléchi, je vais accepter… Je veux dire, j'ai accepté, affirma Isabella gravement.

— Combien de temps?

— Une saison, ajouta-t-elle d'une voix hésitante.

Je ne bronchai pas, en apparence je restai stoïque. En fait, j'avais du mal à encaisser le coup, j'avais envie de crier, de prendre ma voiture et de foutre le camp. Mais, comme si j'avais un jeu énorme dans une partie de poker, dans un bluff absolu, je ne bougeai pas, pas un geste, pas un mot. Illisible.

— J'ai l'opportunité de vivre quelque chose de fort, toi tu as le journal et ton projet photo. Je reviendrai les week-ends. Bruxelles est à quatre heures de route seulement. On pourrait même se retrouver à Paris de temps en temps. Un an ! Ce n'est pas grand-chose et ça nous fera sans doute du bien.

— Tu me… Je pourrai venir?

— Oui, si tu veux, bien sûr.

— Où habiteras-tu?

— On m'a dit que la station organise de nombreux échanges d'animateurs avec le Canada ou des pays africains. Elle dispose de chambres au-dessus des studios… Alberto? Alberto, ça ne va pas?

— Pardon, j'ai besoin de boire un verre d'eau.

Les joueurs de poker savent très bien qu'à l'arrivée du flop sur le tapis (les trois premières cartes communes au

Texas Hold'em), leurs gestes, leurs réactions ou leurs silences influencent immédiatement leurs adversaires d'une manière ou d'une autre. Pour la deuxième fois de notre vie, je simulai à peine un malaise. Isabella était imperturbable depuis le début de la partie. Elle possédait le meilleur jeu possible. Sa main était largement plus forte que la mienne. Elle me demanda à quoi je pensais, et quitta la terrasse sans attendre ma réponse. Je lui dis que, à cet instant, j'aurais aimé rencontrer la fille qu'elle était à vingt ans, pour voir si elle tomberait encore amoureuse de moi, si je la prenais en photo dans un café. Elle avait déjà fermé la porte de la salle de bains.

J'avais froid. Je me sentais abandonné, déraciné. Le sol se dérobait sous mes tongs. Dans la nuit d'Argelès-sur-Mer, j'imaginais la suite de ma vie, sans mon fils, de l'autre côté de l'Atlantique, sans ma femme, invisible pendant une période à durée indéterminée, et moi, pour la première fois dans les labyrinthes du chômage parce qu'avec Fischer et Curkovic à la barre du navire, j'étais convaincu que le journal n'éviterait pas le naufrage. J'aurais aimé avoir vingt ans de moins, ou vingt ans de plus. Je pensais à toutes ces choses qui trottent dans le ciboulot, tous ces trucs que l'on se dit quand on n'a rien senti venir et que le vent a tourné.

J'allumai un nouveau verre de vin et bus une dernière gauloise, j'avais la tête à l'envers, au bord du néant, accablé par l'idée terrifiante de finir mes jours comme ça, seul, face à l'ombre de la mer.

Les vacances étaient terminées. Nous avons déposé Manuel à la gare. Le lendemain il décollait de Paris pour New York. Je serrai mon fils dans mes bras. Trop longuement, je crois. Il se retourna et embrassa sa mère. Isabella rayonnait de le voir prendre son envol. Elle était fière de lui. J'étais noué. J'essayais de ne pas leur montrer que j'étais détruit. Manuel saisit fermement son gros sac marin kaki et s'installa près de la fenêtre. Isabella resta sur place pendant que j'accompagnais le wagon quelques mètres, pour retarder encore la seconde où je ne pourrais plus distinguer le visage de mon enfant, qui n'était plus un enfant. Mon centre du monde quittait la gare de Perpignan et sa jeunesse. On ne pouvait l'entendre, seulement lire sur ses lèvres : « Papa, maman, je vous aime. » Le TGV s'éloigna lentement, j'étais aveuglé par le soleil couchant sur le quai. Ce jour-là, la vie m'arrachait la prunelle de mes yeux.

Je fonçais sur l'autoroute sans me méfier des radars. Isabella s'était endormie rapidement sous son chapeau de paille. Je gardai mes Ray-Ban Aviator jusqu'à la dernière lueur, et même après. Mes larmes, si elles avaient coulé, auraient rempli toutes les baignoires de Manhattan. J'écoutais le disque que j'avais gravé pour Manuel. La compilation des tubes de notre vie, avec les émotions du départ, était restée dans ma valise… Yves Simon, *J'ai rêvé New York*. Mon fils est parti, ma femme poursuit une relation avec un autre homme, j'ai de grandes chances de perdre mon travail ! J'ai déjà connu cette impression de vide autour de moi… John Lennon, *Imagine*. Je suis là, bien vivant. La route me redonne de l'énergie… David Bowie, *Space Oddity*. La nuit est tombée. Je m'arrête pour faire le plein d'essence… Nicolas Peyrac, *Je pars*. J'ai acheté une bouteille d'eau, des pommes, des chips et des bonbons Haribo au goût de Coca-Cola… Michel Jonasz, *I'm Leaving Home Mama*. Isabella dort profondément… Luz Casal, *Piensa en mí*. Lorsque la mort arrive, on voit, paraît-il, défiler sa vie en une seconde. Au cours de ce voyage retour, comme si je venais d'avoir un accident, ma vie fut projetée sur les reflets du pare-brise en un instant, une seconde d'éternité désordonnée :

Au Café de l'Opéra, Isabella m'annonce que je vais être père.

Douze heures trente. J'ai un bébé dans les bras, c'est Manuel. Il est né au moment où la lumière était la plus belle.

J'ai dix ans, mon père crie, je ne comprends pas pourquoi. Ma mère est en larmes, elle hurle qu'elle en a marre, qu'il faut qu'il choisisse. Il monte dans sa 504 et démarre en trombe.

Manuel a sept ans. Il a vu *La Guerre des étoiles*, planqué dans le couloir. Il s'est même endormi par terre. Le lendemain au réveil, il dit : « J'aime bien *La Guerre des étoiles*, mais le personnage vert, il est bizarre, on dirait Mamie. »

« Y'a quoi juste avant l'infini ? » demande Manuel à l'aube de son sixième anniversaire.

En voyage, Manuel a huit ans, il veut monter le son pour écouter *Imagine*... Des frissons parcourent mon corps comme une étincelle. Plus tard : « Papa, c'est Gainsbarnavour à la radio ? »

Il y a de la buée sur la vitre de la voiture. Manuel dessine un cœur avec ses doigts après la fête de Noël de l'école de musique.

Il est très tôt, Manuel vient nous rejoindre au lit. Il a presque six ans. « Je suis amoureux de Virginie, dit-il. – Tu ne peux pas être amoureux de Virginie, elle est trop grande pour toi et surtout c'est la compagne du papa de Tom. – Non. Le papa de Tom est amoureux de la maman de Tom. – Non, bonhomme, ils ne sont plus amoureux. Le papa de Tom est amoureux de Virginie maintenant. » Et Manuel de conclure : « Oh! mais on n'a pas le droit de changer? »

« Papa, je t'ai aimé dès la première seconde où je suis né », me dit mon fils à huit ans.

C'est l'été, je me promène avec Manuel dans la rue. Il a quatre ans et demi, il me tient la main pour traverser la route. Il fait extrêmement chaud : « Je transpire, je n'en peux plus de ce chaud de canard », dit-il.

Je suis avec mon père, nous jouons aux « toi t'es… », notre passe-temps préféré. Toi t'es un cheval, toi t'es une machine à laver, toi t'es un gorille, toi t'es une limace, toi t'es un gros cochon… Je prends la place de mon père, Manuel enchaîne : toi t'es les bigoudis de maman, toi t'es un coquelicot, toi t'es une sorcière, toi t'es une voiture de course, toi t'es un super papa grand.

C'est le quatorzième anniversaire de Manuel. Je lis le texte de Kipling, *Tu seras un homme mon fils*.

Je n'ai pas vingt ans, « Ton père a eu un accident », m'annonce ma mère au téléphone.

ISABELLA ORGANISA SON DÉPART pour la Belgique. Son enthousiasme plombait mon moral qui n'avait pas besoin de ça. Pour mes derniers jours de congé avant mon retour au journal, j'avais choisi de rester dans notre maison de campagne à Sessenheim. J'avais des valises sous les yeux, comme les vieux routiers sympa. Beaucoup de choses à pleurer. Devant mon ordinateur, je cliquais toutes les trente secondes sur l'onglet boîte de réception, pour voir si Isabella ne m'avait pas écrit un e-mail. Juste quelques mots pour me dire qu'elle renonçait à Bruxelles.

Je préparai un colis avec la compilation de la musique des vacances et des DVD pour Manuel, accompagné d'une carte : « Comment ça va le New-Yorkais ? Ton père. » J'avais l'impression de me consumer, d'être sous assistance respiratoire. Je téléphonais à des gens qui ne m'intéressaient plus, je dînais avec des voisins qui m'insupportaient. Le fumet des viandes cuites au barbecue m'angoissait. Certains soirs, je veillais dehors avec des cigales géantes jusqu'au coucher du soleil.

Mes efforts pour masquer ma panique restaient vains. Je paradais dans le vide, je défilais sur tous les chars du carnaval de ma vie décolorée. Pour le déjeuner, je cuisinais des petites choses faciles à préparer et à grignoter. Je dressais deux couverts. J'ouvrais une bouteille de vin à chaque repas. Après, je picolais tout seul et m'endormais saoul, sur le divan. Le matin, je marchais au radar dans mon potager. Je plantais des laitues, binais les mauvaises herbes, pinçais et traitais les tomates, semais des pensées, des pâquerettes et des violettes, commençais des travaux de peinture et autres corvées incontournables pour le propriétaire d'une maison.

Je n'avais pas dormi de la nuit, obsédé par le départ d'Isabelle pour Bruxelles. J'étais prêt à attaquer les haies au sécateur quand la sonnerie de mon nouveau téléphone portable brisa le silence.

– Allô Alberto, c'est moi.

– Isabella ? Ça va ?

– Oui. Et toi ? J'ai oublié mon imperméable, vu le temps à Bruxelles, je peux difficilement faire sans. Tu ne viens pas en ville avant quatorze heures par hasard ?

– Non.

– Bon. Ce n'est pas grave. Tu... Ça va ? T'as une drôle de voix !

– Non, non. Tout va bien. Je me demande si j'ai jamais été aussi heureux de toute ma vie. Tu vois le genre ? J'ai parlé avec deux vaches dans le pré d'à côté tout à l'heure, depuis, elles sont complètement déprimées les pauvres, elles ne donneront plus une goutte de lait avant Noël. Tout va bien, je rayonne, j'te jure.

— Je sais que ce départ est dur pour toi, que tu n'y es pas favorable… Je comprends ce que tu ressens, dis-toi que c'est provisoire.

Je l'imaginai, les cheveux attachés, avec son jeans et ses Converse pour se sentir plus à son aise, à fond vers la Belgique, et son parfum épicé dans sa voiture.

— Je ne sais pas où nous serons toi et moi dans un an. Et toi non plus Isabella…

— J'ai besoin de partir, tu comprends Alberto ?

— Je te l'ai proposé…

— Mais ce n'est pas définitif, je vais vivre une expérience professionnelle pendant quelque temps, c'est tout.

— Alors, c'est moi qui dois t'attendre ? C'est tout ce que ça te fait de me laisser comme ça ?

— Alberto, nous avons passé plus de vingt ans ensemble, je t'aime, je n'ai aucun doute là-dessus. Quand tu m'as parlé de ton envie de partir à l'étranger, tu m'as dit : « J'espère que tu viendras avec moi. » Ça sous-entendait : je pars quoi qu'il arrive. Tu n'avais pas l'intention de me laisser le choix. Je suis dans le même état d'esprit que toi.

— À deux détails près. Je t'ai proposé de m'accompagner, et je suis resté.

— Tu veux venir à Bruxelles ?

– Pourquoi pas.

– ...

– Non je crois qu'il vaut mieux que tu sois seule, j'ai encore un job ici... Une vie? Ça, c'est une autre histoire.

– Alberto... Le départ de Manuel me chamboule, mais c'est aussi une libération pour moi. J'ai le sentiment d'avoir accompli ma mission, d'avoir le droit de prendre de vraies vacances, de penser à moi, tu comprends? Je ne regrette rien, j'ai été heureuse avec toi, avec vous, mais...

– Tu parles comme si tu me quittais, Isabella.

– Alberto, aide-moi. J'ai besoin de savoir que tu ne m'en veux pas.

– Tu me demandes quelque chose d'incroyable. En gros, tu me plantes là et je dois te dire que je suis transporté de joie, que j'attendrai ton retour dans notre fauteuil le plus confortable. Je t'aime, mais tu fais tes valises Isabella, à toi d'en assumer les conséquences. Je t'embrasse.

– Moi aussi.

Je bus un grand verre de rouge, par petites gorgées. Je soupirai, les yeux fermés, la figure meurtrie dans mes mains, de longues minutes. Je trouvais Isabella vraiment égoïste, la pilule avait du mal à passer, mais je n'étais pas en colère, on ne l'est jamais quand on est désespéré.

Après, je m'aspergeai le visage d'eau froide de la campagne, ou d'eau chaude, mon corps ne ressentait plus les variations de température. Je me planquai dans la serviette

de bain, j'étais fiévreux. Je composai un texto à Isabella :
« On déjeune à l'Opéra? » Sa réponse fut immédiate. J'en-
voyai un courriel à Mlle Françoise pour réserver une table.
J'en profitai pour faire un tour sur Facebook. Il y avait une
demande d'ajout de ce boutiquier de Bertrand Fischer en
personne. Ce faux-cul voulait s'ajouter à ma liste d'amis,
comme pour me signifier qu'il attendait mon retour avec
impatience. Même dans cette galaxie virtuelle, il pouvait
aller au diable.

En route, j'imaginais de nombreux scénarios : elle ne
partirait pas, c'était notre ultime déjeuner de couple, on se
quitterait en conflit, provoquant un scandale à l'Opéra.
Comme à chaque fois que j'anticipais l'attitude d'Isabella
depuis plusieurs mois, je me trompais. Je ne lui avais même
pas parlé des révélations de ma mère, de l'histoire de mon
père avec Lucia, nous étions si loin l'un de l'autre. Dans la
voiture, une copie de la compilation de Manuel, avec *Piensa
en mí* en mode *replay*, ne me libérait pas de mes pensées.

Cette ville est un village, tout le monde connaît tout le
monde, et ce landernau se retrouve sur la terrasse de
Mlle Françoise. Comme chaque jour, elle débordait de têtes
illustres dans la région : têtes à claques, têtes de cons, têtes
de Turc, grosses têtes. Je saluai une commerciale tendance
blondasse, une belle femme élancée au rire ravageur, un
avocat ambitieux, le patron d'une marque de café et une
artiste en kimono rouge, qui exposait ses œuvres à l'intérieur.

Je ne me déplaçai pas pour aller dire bonjour à Bertrand Fischer. Lui aussi avait pris ses habitudes depuis sa nomination au poste de rédacteur en chef. Je ne voulais pas partager une seule seconde de ma vie privée avec ce type, le voir dans l'autre partie du restaurant était déjà trop. Nos regards se croisèrent froidement et se détournèrent, comme on enlève une poussière sur un costume neuf.

Avec Isabella, on s'installa à la même table que vingt ans plus tôt, mais ce jour-là, je ne fus pas victime de vertige, juste d'abandon. Elle ne me soigna pas. Il n'existe aucun modèle de pansement pour le cœur.

On commanda deux steaks tartares avec des pommes de terre sautées en accompagnement. Isabella était très détendue, apparemment. Je n'en menais pas large. J'étais fébrile. Je racontai la seule blague que je n'avais pas encore oubliée. « Je t'ai parlé des deux vaches dans le pré ce matin ? Eh bien, tu ne vas pas me croire, mais elles discutaient lorsque je suis arrivé. Je me suis approché. La première a lancé : "Ça ne te fait pas peur la vache folle ?" Tu sais ce qu'a répondu l'autre ? "Non, non, moi, je m'en fous, je suis un canard." » Isabella rit poliment et termina son steak en silence. Moi j'étais gêné, j'avais l'impression que toute la ville m'observait. Je ne touchai pas à mon assiette. Mlle Françoise, discrètement, ne ratait rien de la conversation. Alors que je n'avais aucune intention de lui mentir, je m'adressai à Isabella avec l'aplomb d'un arracheur de dents belge. Je lui dis que j'avais réfléchi, que je n'avais pas le droit de m'opposer à son projet. Je pensais exactement l'inverse, qu'elle ne pouvait pas me laisser ici, avec Fischer et l'hiver qui arrivait, je trouvais ça dégueulasse. Néanmoins, je continuai, avec une boule au ventre, à lui affirmer qu'elle me manquerait, mais que j'étais très heureux pour elle, j'ai même été jusqu'à lui souhaiter une belle réussite à Bruxelles. Elle me remercia, en ajoutant que sans mon approbation elle aurait culpabilisé, elle y serait allée à reculons. J'étais incrédule, elle me trouvait sincère. Je lui concédai qu'elle avait saisi une magnifique opportunité, qu'elle pouvait se lancer dans l'aventure le cœur léger.

– Et le bagage mince?

– Et certaine de conquérir Bruxelles? C'est ça?

Isabella connaissait par cœur les paroles des chansons de Charles Aznavour, elle était imbattable au blind-test.

– Je te vois déjà, en haut de l'affiche, même si Bruxelles est le bout du monde pour moi d'un seul coup, je poursuivis en chantonnant vaguement.

Elle changea de sujet, me demanda si j'avais des nouvelles de notre fils. Comme elle, je n'avais rien reçu depuis son premier texto new-yorkais.

– Ça veut dire qu'il est bien à New York, notre enfant. On a passé notre vie à s'angoisser pour lui, le moment de lâcher la bride est arrivé, Alberto.

– J'admire ta vision des choses et ton détachement, Isabella.

– On a bien fait notre boulot. Il est formidable, notre fils.

– Tellement formidable qu'il n'a plus besoin de nous.

– Notre mérite est là justement. Tu es un père attentif et aimant, ton investissement sans faille a construit une si belle relation entre Manuel et toi. Tu peux t'en satisfaire, et laisser s'envoler ton jeune Padawan, cher maître Jedi.

Quel est l'intérêt de réussir quoi que ce soit puisque de toute façon, on termine tous en poussière ? J'étais obsédé par cette vision douloureuse de la vie sur terre sans moi, par tout ce que je raterais de celle de Manuel. Je m'imaginais dans cette boîte insonorisée, enfermé dans le noir, au fond du trou, dévoré par la peur comme un enfant par les monstres de ses cauchemars. Tout ça pour ça. C'était tellement déchirant. Isabella demanda la note et insista pour régler. Sans un mot, comme vingt ans plus tôt, on emprunta l'escalier en pierre de l'Opéra. Je passai ma main dans ses cheveux, et saisis fermement sa nuque entre mon pouce et mon index. Elle n'opposa aucune résistance, pivota simplement pour adoucir la douleur. Je la serrai contre moi. Je ne connaissais rien de plus agréable que le parfum de sa peau. Elle se dégagea de l'étreinte, me dit au revoir sans m'embrasser. J'eus du mal à respirer. Je l'observai ouvrir la portière et s'engouffrer à l'intérieur de sa voiture. Elle tourna la clé de contact, enclencha la marche arrière, recula puis braqua le volant pour repartir dans l'autre sens. Nos regards se mélangèrent un dixième de seconde. Elle appuya sur l'accélérateur. Le véhicule vira à droite après les douze platanes de la place. Au même moment, il se mit à pleuvoir. Notre histoire était-elle terminée? J'espérais qu'un jour, Bruxelles ne serait plus qu'un mauvais souvenir pour moi et un bon pour elle.

Pendant quelques minutes, je restai debout, les jambes chancelantes, les yeux humides plongés dans la profondeur de champ, en imaginant la voiture revenir, Isabella déclarer qu'elle ne pouvait pas partir et qu'elle m'aimait, qu'elle m'aimerait encore, n'importe où, comme on le dit au cinéma. Un bon photographe sait anticiper, moi, je n'avais rien vu venir de cet instant de vie à l'envers. Je finis par me rendre compte que mes mains serraient très fort l'imperméable d'Isabella. Je trouvais la pluie à mon goût, mais je détestais le monde. Particulièrement le bout du monde.

PENDANT DEUX JOURS et deux nuits je ne m'alimentai pas. Comme un automate triste. J'absorbai de la vodka par litres. Juste boire, boire pour oublier, c'était pas des conneries. Je fumai sous le ventilateur du plafond, et vomissai parce que j'avais mal, parce qu'Isabella avait taillé la route. Je repensai aux épisodes heureux de ma vie avec elle : le lac de Côme, les bons restaurants, la découverte sur Internet de *La Mélodie du bonheur* de la gare d'Anvers, les expos dans les grandes métropoles, Pompidou, la Fondation Beyeler à Bâle avec ses Giacometti, le spectacle de son et lumière sur la Sagrada Familia pour les cent cinquante ans de la naissance de Gaudí à Barcelone, les musées Miró et Dalí. Et puis je me mis à pleurer sous ma douche, je lâchai les larmes retenues depuis le dîner d'anniversaire de Manuel, depuis la mort de mon père, depuis bien plus longtemps encore. Je restai assis dans le bac, le pommeau et l'eau chaude dans les bras, pendant une heure, peut-être plus.

J'étais seul, avec une odeur de renfermé sur ma peau embuée. Seul, comme lorsque mon père n'était pas là et que ma mère jouait au théâtre.

Une envie finit par émerger : rouler des heures en voiture, tranquillement, pas pressé. Je n'allais nulle part. Mon carburant était l'amertume.

Le dimanche soir, je bus du Toplexil à la bouteille, avant de m'écrouler. Dans mon lit, la télé allumée, les yeux éteints et la tête dans un étau limeur, j'étais glacé et découpé en fragments déformés. Les pixels ne suivaient plus l'image que je projetais sur les murs blancs de mon mariage. Ma vie me parut diaphane. J'étais *Le Transi*, la statue de Ligier Richier, ce squelette qui tend son cœur vers le ciel, affichée dans le salon.

Plus tard, le téléphone me réveilla :

— Allô !

— Allô…

— Salut, c'est Benjamin, tu vas bien ?

— Salut voisin.

— Je suis chez moi, je m'emmerde un peu. Ça va toi ?

— Pas de problème… cun problème… Pou quoi ? J'passe un week-end d'folie. Dis-moi… Dans la collection « Pour les nuls », *La Vie pour les nuls* ça existe ? Voilà un livre qu'tu pourrais m'offrir parce que… J'crois qu'j'ai pris perpète… Putain, j'sais m'me pas où j'suis… Houston, on a un problème… ouston ?

– Justement, t'es où ?

– Sur la nu lu… La lu, la lune ou pas loin. Je suis le fiancé de la lune, l'homme qui a posé le pied sur la connerie. Un grand pas pour moi, un petit pas pour les distilleries…

– T'as beaucoup picolé ?

– Moi ? Rien. Que deux ou trois p'tites bouteilles de… je sais plus quoi. Très convenable tu sais, le… je sais plus quoi.

– J'arrive.

Le bruit des poubelles qui claquaient comme des tambours dans la cour intérieure me réveilla. Les fenêtres de l'appartement étaient grandes ouvertes depuis la veille. Les matins d'août étaient encore très doux. Je préparai du café, beaucoup de café, et pris une aspirine pour tolérer l'état de fatigue d'un lendemain de cuite vodka Toplexil et la monstrueuse gueule en bois de Bertrand Fischer. C'était le jour des retrouvailles. Je jetai des œufs dans l'huile d'olive bouillante. J'allumai la radio branchée sur Inter et découvris la carcasse de Benjamin à peine réveillé sur le canapé.

– T'es là, toi ?

– Oui, comme tu vois. Je suis venu boire un verre avec toi hier soir, mais y'avait plus rien à picoler quand je suis arrivé.

– Aucun souvenir. Mais c'est gentil d'être passé.

– Normal, vieux. Tu te sens mieux ?

— Je ne sais pas, mais je crois que j'ai eu mon compte. Je vais me faire un Guronsan, tu en veux un?

— Non merci. Tu vas comment?

— Le célibat, c'est pas mon truc.

— Oui, c'est un peu comme la campagne, tu t'emmerdes le jour et tu as peur la nuit, disait Tristan Bernard.

— T'es dans la pub toi, non?

— Bon, allez, dis-moi tout!

— Le départ de Manuel n'est pas facile à gérer. Isabella est à Bruxelles, tout se mélange. J'ai l'impression que ma vie ne ressemble plus à rien. En plus, c'est ma rentrée au journal dans l'ambiance que tu connais. Ce con de Fischer doit m'attendre avec un bazooka.

— Où en es-tu avec Isabella?

— Elle est partie. On s'est parlé. Elle devrait revenir le week-end. Il y a un homme dans sa vie, un type de Bruxelles.

— Tu déconnes? Elle te l'a dit?

— Non.

— Je n'arrive pas à croire qu'Isabella t'ait planté comme ça. Pour un autre mec. C'est incroyable, on rêvait tous de vivre la même chose que vous, vous étiez le couple parfait, un modèle.

— C'est le cas.

— On n'imagine pas à quel point les gens sont malheureux.

— N'exagère pas. On a fait des choix différents, c'est tout.

— C'est Isabella qui a fait un choix.

— Finalement, c'est elle qui a raison. Et peut-être que ça m'arrange… Elle vit son truc, avec ce type, ou pas d'ailleurs, on s'en fout, et puis un de ces jours, elle va se rendre compte que je lui manque. Si je lui inflige des scènes pathétiques, si j'entre en conflit avec elle, si je lui pourris le quotidien, j'aurai beaucoup moins de chances de la voir revenir, et puis ce n'est pas ma nature.

— Moi, je ne pourrais pas accepter ça.

— Quoi?

— Qu'elle se tire avec un mec!

— Tu vas perdre ta vie à vouloir trop bien la penser. Le type est accessoire.

— Tu raisonnes comme ça t'arrange, en fait. Tu es largué, Alberto. Et tu te bourres la gueule pour oublier. Moi je préfère trop bien la penser, ma vie, que ne pas la penser du tout.

— Toi, tu travailles dans la pub!

— Et alors?

— Tu es payé pour penser.

— Je ne vois pas ce que tu veux dire.

— Publicitaire, ça use. Vous êtes là, toute la journée, à parler de *storytelling* en croyant maîtriser tout du genre humain, à enchaîner les *one to one* ou les *one to many*, à dire que la génération Y vous inquiète, à trouver des cibles, des buzz, des tweets, à décortiquer la pyramide de Maslow, à anticiper ce qu'il y aura dans la tête des gens. Tu fais la même chose avec ta vie, c'est un produit *real people*. Tu essayes de me la vendre depuis tout à l'heure...

– Pas du tout. Tu n'étais pas bien, je suis venu, point. Je ne te vends rien.

– Tu fais chier, Benjamin, depuis le Mont-Blanc, tu me fais chier.

– C'est ça, t'as raison Alberto, tu as raté l'ascension comme un minable et c'est de ma faute.

– Je n'ai pas besoin d'entendre ce genre de conneries.

– OK, je te laisse.

– Salut.

– Salut.

Je retrouvai le monde très réglementé de l'entreprise avec le cœur qui battait plus vite et les mains moites. Fischer n'avait pas pris de vacances et ça se voyait à sa mine renfrognée. Il était pâle, comme la machine à laver d'un malade. Mon rédacteur en chef ne m'adressait pas la parole, il utilisait un intermédiaire pour me faire part de mes missions. Ça tombait bien, j'avais le coup de boule facile et la tête ailleurs, quelque part entre la Belgique et l'Amérique. Il restait à distance, mais je ne savais pas pour combien de temps.

En fin d'après-midi je fis un détour par l'Opéra. Je commandai un verre de vin. Mlle Françoise n'avait pas l'air de bonne humeur. On était deux. Il se confia à moi, m'avoua qu'il y avait des trucs qui lui trottaient dans le ciboulot. Des trucs mauvais. Il sentait que son homme allait le quitter, qu'il était trop vieux, qu'à l'approche de la cinquantaine, il n'aurait plus envie de recommencer, qu'il finirait sa vie comme un rat, seul. Il servit des cafés à un couple qui ne communiquait qu'avec des flèches dans les yeux, il me promit de revenir. Je bus mon verre en consultant mes e-mails sur son ordinateur portable, j'espérais un signe d'Isabella. Toujours rien. Comme d'habitude Mlle Françoise n'eut pas le temps de bavarder, d'autres clients avaient envahi le bar de l'Opéra.

Poker, alcool, cigarettes. Les éléments de la nuit éclairaient ma solitude à la lampe torche. Isabella n'appela que deux jours plus tard, elle articula trois formules toutes faites, rien ou presque. Pas besoin de faire preuve d'une sagacité développée pour comprendre qu'elle ne rentrerait pas avant un moment.

Les jours passèrent, nos rapports atteignirent des températures polaires. La femme que j'aimais était méconnaissable. Je ressentis du soulagement en appuyant sur la touche « terminer » de mon téléphone. Jusque-là, je n'avais jamais douté de notre histoire, de notre avenir.

J'AVAIS CROISÉ BENJAMIN plusieurs fois dans l'escalier, avant qu'il me propose de prendre un verre place du marché Gayot, histoire d'enterrer notre altercation de l'autre jour. Nous parlâmes de tout, sauf d'Isabella et de notre amitié, ce n'était pas la peine. Se retrouver, boire des coups ensemble suffisait, les mots étaient inutiles. Un orage surprit les clients des terrasses. En s'écrasant sur le sol, la pluie forma des petits torrents entre les pavés. Des bulles s'y baladaient, puis explosaient. L'eau dégoulinait de partout. Après quinze minutes, tout s'arrêta. Nous étions trempés, nous ressemblions à des épouvantails plantés là pour effrayer les grenouilles. La sirène des pompiers hurla sur les quais voisins. Les gens ressortaient des cafés, épongeaient les chaises avec des mouchoirs et des serviettes en papier puis s'installaient très exactement à la même place. Le bar diffusait le dernier album de Luz Casal, donnant à l'espace une ambiance ibérique qui lui allait bien, une ambiance que Manuel et Isabella aimaient tant.

Mon portable signala l'arrivée de deux SMS. Celui d'Isabella était prévisible. Elle confirmait qu'elle resterait à Bruxelles le week-end suivant. Le deuxième me rendit fou de joie. Manuel venait de recevoir son paquet : « Merci mon petit papa pour cette attention. Tout va bien. ☺ J't'M. » Quelques instants plus tard, il envoya trois autres fichiers par e-mail, les premières chansons mixées de son album. Je trouvais ça bluffant. J'aimais sa musique depuis longtemps, mais là, elle sonnait encore plus fort, si je n'étais pas son père, je l'aurais comparé à celle de U2. Dans un petit film enregistré avec son téléphone portable, Manuel décrivait New York avant de diriger la minicaméra sur lui : « Je suis à New York, papa. Je suis à New York, c'est dingue… C'est un endroit pour toi. » Je le visionnai plusieurs fois, comme si je découvrais le nouveau long métrage de Woody Allen. Je fus soulagé de le voir si heureux, si beau derrière ses Ray-Ban Aviator sur le trottoir bouillonnant. Manuel chantait dans *West Side Story*, dansait dans *Un jour à New York*, était couché sur l'herbe de Central Park dans *Manhattan*, au sommet de l'Empire State Building avec *King Kong*, chez lui. J'appréciais enfin la lumière, les parcs et les jardins, les façades et les balcons, les fleurs, tout ce qui faisait l'été strasbourgeois. Je savourai ce moment de grâce. Tout s'était emboîté pour que cette insouciance soit possible. J'étais libre, je n'avais rien à prouver, rien à chercher, rien à justifier. Cette nuit-là, je fis le tour du cadran pour la première fois depuis une éternité. Et puis je repensai à mes parents, à cette histoire dingue avec Lucia. J'avais construit le contraire exact, une famille unie.

L'accalmie fut de courte durée. Dès le lendemain, mes angoisses reprirent le dessus. Rien ne s'allume, rien ne s'éteint en une seconde. Je redevenais inadapté, suspendu dans le vide face à l'absurdité de l'existence. Je paniquais, je m'enlisais dans une profonde déprime. Puis je refaisais surface, je ressentais le souffle d'une nouvelle forme de latitude. Pendant quelques semaines, je passai d'un extrême à l'autre en un claquement de doigts. Un blues déloyal frappait quand revenait le soir. En finir avec la vie me traversa même l'esprit plusieurs nuits, tant la désespérance proliférait comme un venin puissant dans des veines à sectionner.

Au journal, je ne travaillais pas, je surfais sur Internet en observant Fischer s'agiter plus loin. J'écoutais en boucle les chansons de Manuel que j'avais transférées dans mon téléphone, et je regardais souvent son petit film. Pour éviter les regards, je rentrais déjeuner chez moi. Un saladier de poulet froid, de concombre et de tomate me permettait de tenir trois ou quatre jours, mon appétit avait filé avec Isabella. Un midi, je montai dans un tramway. À la station suivante, je tombai nez à nez avec l'affiche du mannequin qui ressemblait tant à Isabella. Elle vantait les mérites d'une crème anti-âge. En regardant autour de moi, j'eus l'impression que

Strasbourg avait loué les services de cette fille pour recouvrir ses murs et m'imposer l'image parfaite et souriante de celle qui était partie avec mes dernières illusions.

෴

Un après-midi, une dépêche arriva au journal sur le fil de l'AFP. Elle annonçait la mort de Willy Ronis, mon photographe préféré. Isabella m'avait offert *Ce jour-là* pour mon anniversaire. Dans ce livre, le maître de la photographie humaniste racontait les circonstances de prises de vue de ses plus grands succès. *Le Petit Parisien* par exemple, un garçonnet qui court dans la rue avec un pain sous le bras dans les années 1950. L'image des *Amoureux du pont des Arts* était encadrée dans le salon de la maison de Sessenheim. Je pensais à cette existence, faite de voyages, de reportages, avec un appareil armé pour saisir le temps sous les plus belles lumières de la planète. J'avais rêvé de cette vie-là plus jeune, mais je m'étais contenté de ma tranquillité, du confort de ma famille, sans imaginer qu'un jour tout volerait en éclats. J'avais envie de me réveiller ailleurs, sans horaires, sans me ronger les sangs, sans patron tyrannique et indigent dans les pattes.

Patrick, mon voisin de bureau, proche de la retraite, partagea mon émotion à la lecture de la dépêche :

— C'est con, à quelques mois près, Ronis était centenaire, ironisa-t-il.

— Moi, je le serai, c'est écrit sur les lignes de ma main. Et j'espère que je ferai de la photo jusqu'au bout.

— T'es dingue! Moi, dans cent quatre-vingts jours, je rends mon tablier, je range mon matériel dans une armoire et je ne fais plus un seul tirage, sauf pour les Noël de mes petits-enfants. Ça fait quarante ans, j'en peux plus. Je rêve de lever le pied au lieu de lever le doigt. Les gouvernements devraient réorganiser le travail, avec une dégressivité en fonction de l'âge et du nombre d'années de boulot. Douze heures par jour de dix-huit à vingt-cinq ans, dix heures de vingt-cinq à trente-cinq ans, et ainsi de suite, le tout avec un fonctionnement ingénieux de rémunération et des cotisations adaptées. Une bonne idée pour hommes politiques en manque de programme. T'as pas faim? Non? Comment tu fais pour tenir le coup, sans grignoter un truc? Moi, je ne suis pas Jack Bauer, je ne peux pas passer vingt-quatre heures sans manger quelque chose. Je vais dévaliser le distributeur de confiseries, s'enthousiasma Patrick.

Fischer entra sans frapper et déclara :

— Je ne sais pas de quoi vous parlez ni ce que vous avez bu, mais il faut arrêter immédiatement. Y'a une urgence. Caruso, passez voir Jacqueline, elle vous expliquera tout.

Mon supérieur m'avait désigné d'office pour un entretien et une photo, en me vouvoyant d'une façon équivoque. Quelques heures plus tard, j'étais à l'autre bout de la région avec un grand bâtisseur de systèmes en costume cravate, un type sorti de la même usine de clowns que mon rédac chef. Le monde était peuplé de Fischer.

L'interview tourna court. Cinq questions, patin couffin. Je coupai le magnéto, le portrait était dans la boîte. Toutefois, l'homme ne me lâchait pas. Il tenait un journaliste, il en profitait. Il parlait, il jactait, il vidait son sac, il inventait la définition du verbe placoter, il en faisait des tonnes, pour trouver ce qu'il cherchait, quelque chose à dire. Son monologue m'agaçait. Alors, je l'interrompis et lui balançai, sans trop de conviction, l'idée de Patrick sur les horaires aménagés en fonction de l'âge. L'autre me rit au nez et insista sur le fait qu'en politique, on ne peut pas débarquer avec un concept et tout changer du jour au lendemain. J'abrégeai la conversation en lui jetant froidement à la figure que j'avais un métier moi aussi, et du travail. L'homme me dévisagea avec un air taillé dans le fiel de ses croyances nauséabondes.

Dans la voiture balisée du journal, je fumais des cigarettes sans plaisir. Quelques instants plus tard, je reçus un SMS : « Dans dix minutes sur Est Radio. L'invitée sera Lola Franchini. » J'allumai la radio. Je zappai puis stoppai sur la bonne fréquence au moment où un chroniqueur terminait son billet d'humeur : « … un état d'esprit ultra-libéral, comme on diffuse la parole divine. Je l'affirme, camarades auditeurs, le travail c'est la santé, mais travailler moins pour vivre mieux, c'est mieux… Que faites-vous là, devant la radio, au lieu de travailler plus ? Allez bosser, flancs-mous, et n'oubliez pas de revenir écouter cette rubrique demain à la même heure sur Est Radio, pour gagner un peu plus… de liberté. » Un animateur reprit la parole : « Merci Samuel, bonne soirée et à demain. Je suis Jean-Michel et nous sommes ensemble pendant deux heures. On va enchaîner avec le flash info et une météo pas très excitante pour les jours à venir. Dans un instant je recevrai l'auteur Lola Franchini. Mais avant de la retrouver, je vous propose de découvrir le nouveau titre de Vanessa Paradis sur Est Radio. »

Je n'avais pas revu Lola depuis le vernissage d'Antoine. Plusieurs fois j'avais eu envie de l'appeler. J'étais curieux de savoir comment elle allait répondre aux questions de cet animateur, après la chanson.

– Bonjour Lola Franchini.

– Bonjour.

– On peut entendre votre voix sur la chaîne de télévision Arte, vous êtes aussi écrivain. Votre premier roman *L'Homme en costume* a obtenu un beau succès. Vous êtes engagée dans la lutte pour la protection des animaux. Aujourd'hui vous nous parlerez de vous et de votre nouvel ouvrage, un essai intitulé *C'est ainsi que les ours meurent*. Mais auparavant, je vous propose une première interview dans laquelle vous serez obligée de répondre par une courte phrase. C'est parti. Lola Franchini, qui êtes-vous ?

– Une fille d'aujourd'hui.

– Une fille qui a un rôle à jouer?
– Oui. C'est ça.
– Lequel?
– Celui que l'on veut bien me donner.
– Vous êtes ambitieuse?
– C'est un luxe que je m'offre, parfois.
– Pensez-vous que l'amour soit un luxe?
– Oui. Les prix sont inabordables.
– Vous avez les moyens?
– Pas encore.
– Vous les aurez?
– Je ne sais pas. Si peu d'hommes sont prêts à aimer.
– Que détestez-vous chez un homme?
– Rien. Sauf s'il est romantique.
– Qu'aimez-vous chez un homme?
– Son odeur... de sainteté.
– Tous les hommes n'ont pas la même odeur...
– C'est exact, certains finissent par sentir l'ours.
– Que faites-vous alors?
– J'ai de l'instinct. Je m'en vais avant que ça ne dégénère.
– Vous aimez les ours pourtant?
– Seulement s'ils sont polaires.
– Croyez-vous à l'amour?
– J'ai de l'ambition, je vous l'ai dit.
– Que préférez-vous en vous?

– Ma voix et ma poitrine.

– Que préfèrent les hommes en vous ?

– La même chose.

– Que détestent les hommes en vous ?

– Mon départ, pourtant très joli.

– Que pensez-vous de cette phrase : « Une femme est le seul cadeau qui vous choisit » ?

– Si la femme est un cadeau, l'homme est un bakchich.

– Votre ambition ?

– Mériter un reproche.

– Qu'allez-vous faire maintenant ?

– Ce que je veux.

– Merci Lola Franchini. On vous retrouve dans un instant, juste après les informations, il est dix-neuf heures sur Est Radio, le flash vous est présenté par…

Je coupai la radio. J'allumai une cigarette et accélérai.

ISABELLA RÉAPPARUT, le temps d'un week-end. J'avais peur de lire de l'indifférence dans ses yeux. J'aurais pu tout accepter, même de la compassion, mais pas ça. Elle me manquait. J'avais mal, je crevais de ne pas la voir. Cette douleur, je ne la connaissais pas, ou plutôt si, mais j'avais tout fait, tout contrôlé, pour ne plus jamais ressentir aucune forme de délaissement. Je commençais à me demander si mon engagement avec Isabella ne m'avait pas aidé à combler les vides. M'avait-il protégé de ma noirceur, celle que j'avais enterrée, à six pieds sous terre, dans un cercueil de névroses ? Avant le retour de ma femme, j'étais blême, j'avais une tête pas possible. Ma nouvelle coupe de cheveux, plutôt courte, n'avait rien changé, pas plus que mon footing d'une dizaine de kilomètres et la longue douche qui avait suivi.

Elle sourit comme si elle était heureuse de me voir, mais je me faisais des idées, Isabella était la femme la plus souriante de cette planète. Il y avait une distance entre nous, mais je ne lui posai aucune question. J'étais convaincu que, s'il restait une chance pour que notre histoire renaisse de ses cendres, il ne fallait rien gâcher avec des discussions d'apothicaires belges qui mettent le feu aux poudres. La soirée fut douce, sans tension. Je me demandai si j'étais autorisé à répondre à mes envies, si Isabella était encore celle qui partageait ma vie et avec qui, normalement, je faisais l'amour.

La toute première nuit que nous avions passée dans notre maison de campagne, nous avions baisé, dîné, puis dormi au coin du feu, comme le font tous les couples devant les braises qui craquent. Cette fois, après avoir mangé des morceaux de fromage de toutes les couleurs, elle me serra dans ses bras et m'embrassa. Je sentis que son corps était différent, plus velouteux. Son parfum aussi avait changé, comme les expressions de son visage et le goût de ses baisers. Je croyais pourtant la connaître par cœur. Est-ce ainsi lorsque l'on a été approché par un autre humain ? Le compteur des sensations est remis à zéro ? Toucher quelqu'un que l'on a décidé de quitter revient-il à caresser un cadavre ? Isabella ne m'avait pas quitté, elle s'absentait longuement, c'est tout. On s'embrassa encore. Je fermai les yeux. Nos mains glissèrent sous nos vêtements et se précipitèrent sur le sexe opposé que nous ne pouvions plus éviter tant notre excitation était intense.

Après l'amour, j'attendais qu'elle parle, qu'elle dise que c'était bon de se retrouver, mais Isabella resta muette. Hors d'atteinte. Elle but de l'eau gazeuse à la bouteille et se laissa retomber de tout son poids sur le canapé. Elle alluma une cigarette. Puis elle tira une dernière bouffée, écrasa le mégot dans le cendrier marocain et vint près de moi. Elle m'embrassa avec tendresse, un geste appartenant au passé.

– Elle te va bien cette nouvelle coupe de cheveux!

– Quand reviens-tu?

– Pourquoi cette question?

– Pour rien…

Je vivais avec cette femme depuis plus de vingt ans, pourtant, faire l'amour avec elle ce jour-là me sembla irréel. Je ne me doutais pas à quel point j'avais besoin de l'irréalité, comme du soleil.

J'eus de la fièvre dès le départ d'Isabella. Je fis « Aaaaaah » en ouvrant la bouche, le médecin fit « Boooon ». Diagnostic : angine. Une semaine d'arrêt. Sept jours sans fin, pour fixer le monde qui s'en fout. J'avais froid. Le ciel était blanc, comme ma gorge, comme mes nuits que je passais à écrire : « Bonjour, belle inconnue. Je m'appelle Alberto. Lorsque je vous ai vue en cette fin de journée, je suis littéralement tombé amoureux de vous. Il y a des choses que l'on sait et moi je sais que vous êtes la femme de ma vie. Vous portiez un manteau gris, un jeans, un sourire, j'adore votre façon de vous habiller. Vos cheveux sentaient la vanille. Je me suis un peu renseigné sur vous. On m'a dit que vous avez de l'humour, que vous êtes douce, belle (j'ai vu) et intelligente, un mélange à peine croyable, que vous avez vécu une longue histoire avec un homme et que, peut-être, il vous est impossible d'en aimer un autre maintenant. Je vous comprends. Ce sont les sentiments, ça, il y en a plein la littérature, plein les chansons. On se fait de la peine, on part, on revient et un jour, si l'enfant qui est en nous a pu exprimer ses terreurs et ses colères, on ne souffre plus. On devient un homme libre. On se trompe parfois, on brûle tout, souvent, mais quand on comprend le sens de tout cela, quand on s'affranchit du regard des autres, quand on trouve grâce à ses propres yeux, on peut aimer, s'aimer, et être aimé. Qu'attendez-vous d'un homme? Qu'il réponde à vos besoins? Qu'il soit attentif? Dévoué? Qu'il sache vous prendre dans ses bras? Qu'il exprime sa fierté et son bonheur de partager sa vie avec vous? Qu'il vous écoute et vous protège? Aimez-vous les voyages, les séries américaines, la liberté de rentrer chez vous, puis de vous blottir contre un corps chaud et fort? Plus tard, lorsque nous aurons fait connaissance, je vous raconterai l'histoire du petit garçon qui n'avait pas de doudou, le petit garçon qui a lutté pour être en paix avec lui-même et avec le monde entier, un petit garçon qui est devenu un homme autorisé à aimer. »

Les mots avaient glissé si vite, si facilement, que je doutais d'en être l'auteur. Jamais je n'avais eu conscience de m'être battu pour devenir l'homme que j'étais ou d'avoir manqué d'un doudou. Au moment d'envoyer cet e-mail, la vibration de mon téléphone sur la table de chevet me fit sursauter. Manuel apparut sur l'écran. Je décrochai.

– Allô! Salut papa.

– Salut Manuel. Comment ça va? Comment se passe la vie d'un nouvel Américain?

– C'est génial. Tu as reçu les premiers mix, t'as entendu, on avance.

– Oui, c'est excellent, tu vas cartonner.

– Tu sais, j'ai parlé de toi aux producteurs pour que tu fasses la photo de la couverture du CD, mais ils ont déjà acheté une image, un funambule sur un fil avec un énorme soleil orange derrière lui. On trouve ça carrément moyen. Tu n'aurais pas une idée?

– Il faut que j'y réfléchisse. Tu as une deadline?

– Je ne sais pas. Je vois ça, OK?

– Sinon, pas de problème, on fera le prochain, c'est pas très grave!

– Si. C'est important pour moi. Tu aurais le temps de venir? Tu pourrais faire la photo de presse au moins, et pour le prochain disque, c'est le groupe qui décidera de toute façon. Papa, faut que j'y aille, mais je voulais te passer le bonjour d'Antoine, il est à New York. Son expo a un succès dingue. J'aime tellement la vie ici, je suis libre, c'est cool. Tu viendras? Papa! Tu es là?

Je pensais à Manuel, enfant dans sa chambre, au milieu de ses soixante-dix-sept doudous.

111

— Allô! Papa, tu m'entends?

— Oui, bien sûr…

— Je disais que j'étais très heureux d'être à New York.

— Comme je te comprends…

— Papa… J'ai rencontré une fille, une Espagnole… Je… Je suis amoureux d'elle, follement amoureux, mais je suis mal. C'est la merde avec Charlotte. Je pense qu'elle sent quelque chose. Je n'arrive pas à me dire que je suis juste, que c'est la vie, et puis nos projets de couple, tu vois ce que je veux dire?

Manuel ne m'avait jamais vraiment parlé de ses histoires, mais la distance permettait la confidence. Je ne me sentais pas à la hauteur, incapable de lui donner un conseil, je cafouillai quelques mots sur sa présence avec sa nouvelle amie pendant les fêtes de Noël, je le félicitai encore pour sa musique.

— Salut, je t'embrasse.

Il raccrocha. Quelques semaines plus tôt, il disait « bisous papa ».

Pendant que mon fils vivait les plus jolis jours de sa vie dans la ville qui ne dort jamais, que ma femme roucoulait en Belgique avec le Manneken Pis, je tirais la gueule dans mon coin, bras dessus bras dessous avec ma fièvre. Fort heureusement, je n'avais pas l'imagination assez fertile pour me torturer avec l'image d'Isabella dans toutes les positions du Kâma-sûtra belge. Ma solitude forcée avait un léger goût de liberté. Il me vint à l'esprit que, peut-être, je trouverais une sorte d'accord avec moi-même, une harmonie rassurante, comme les premières mesures d'une vieille chanson que l'on reconnaît immédiatement, quand le présent se mélange avec la nuit des temps. J'effleurai la souris de mon ordinateur. L'e-mail destiné à Isabella attendait toujours sur l'écran. Je survolai la touche envoyer, avant d'éteindre tout ce qui était relié à l'électricité. L'essentiel était préservé, dans les yeux de ma femme, je n'avais jamais vu la moindre trace d'indifférence.

L E LUNDI SUIVANT, j'arrêtai les antibiotiques, mais une autre maladie m'incommodait, une allergie, une épidémie : Fischer. Au bureau, il était métamorphosé, triomphant, débordant d'une énergie frénétique. Personne ne comprenait pourquoi. Il proposa des sujets, des « marronniers » qu'il présentait comme des enquêtes inédites. Il était devenu docteur ès buzz en un week-end, et l'ahuri du siècle finalement, le seul type capable de parler et d'expliquer ce qu'il dit au même moment. Un cador. Pour finir son show matinal, mon rédacteur en chef demanda si quelqu'un était volontaire pour un reportage. Un écrivain, gros vendeur de livres, était de passage dans la région. Le journal ne pouvait pas passer à côté. La rédaction n'était pas très enthousiaste, personne ne souhaitait couvrir l'événement. Au lieu de se sentir agressé personnellement, comme à son habitude, Fischer déclara, à la façon d'un maître tibétain :

— Moi, je ne suis pas équipé pour lutter contre la morosité ambiante de cette rédaction. Personne ne veut interviewer Marc Levy ? C'est inacceptable, on en reparlera. En attendant, j'irai, moi. Quelqu'un sait de quoi parle son bouquin ? OK, pas grave. Caruso, vous venez avec moi pour la photo, le rendez-vous est à dix-neuf heures trente, après sa conférence. Vous avez coupé vos cheveux Caruso ? Vous avez raison ! On finit par les perdre de toute façon, c'est comme les femmes. Non ?

— Pardon !

— Je dis ça, je ne dis rien.

— Vous avez un problème avec moi ?

— Oh là… On se calme. Je plaisantais, c'est tout. Y'a rien de personnel dans c'que je viens de dire. Ne prenez pas toujours les choses pour vous. C'est dingue quand même, arrêtez de vous sentir agressé comme ça. C'était de l'humour. C'était de l'humour, Caruso. C'était de l'humour.

Sa manie de répéter trois fois ses phrases était insoutenable. L'envie de commettre un acte définitif était irrépressible. Ce pauvre type avait sans doute entendu des rumeurs sur le départ d'Isabella à Bruxelles, il en profitait pour faire des cabrioles déplacées. Il avait délaissé le tutoiement, mais je savais que c'était tout le contraire d'une marque de respect. Cet homme m'inspirait du mépris et rien d'autre. Jamais je n'avais éprouvé ce sentiment envers quelqu'un. Me jeter sauvagement sur lui, pour lui arracher ses yeux et sa vanité, entrait dans l'ordre des choses, mais je maîtrisai mes nerfs et quittai la salle de réunion avec un grand sourire, bien décidé à ne plus être touché par ses humiliations.

Le lendemain, en arrivant au journal, je trouvai un Post-it sur ma table de travail : « Venez me voir sans tarder. Fischer. » J'avalai le café que Bernard m'avait servi dans ma tasse banalisée *Dernières Infos*. Mon collègue ajouta que Fischer avait l'air étrange, que ça ne sentait pas bon. Je frappai avant d'entrer dans son bureau. Je posai ma veste sur le dossier de la chaise et m'installai sans dire un mot.

– Ah. Caruso. Oui, voilà. Ça ne va pas du tout avec vous. Votre comportement en général et avec Marc Levy, hier, en particulier. J'ai un retour très négatif du directeur de la librairie. Je vous épargne ses mots, mais je peux vous dire qu'il n'a pas aimé votre façon de travailler. Ça ne va plus. Je vous ai fait venir pour vous annoncer votre mise à pied. Vous êtes viré, immédiatement viré, viré, insista Fischer.

Ce petit salaud avait fait ce qu'il fallait pour me jeter dehors, confirmant qu'il avait du génie dès qu'il s'agissait de détruire un rival. Par quel tour de magie avait-il réussi à mettre la direction générale dans sa poche? Je l'ignorais. À cet instant, ma mâchoire se serra, j'avais l'impression de gonfler de l'intérieur, je n'avais aucun doute quant à ma capacité à bondir sur une crapule comme Fischer. Je fus sur le point de l'attraper par le col sale de sa chemise négligée quand il se leva brusquement et repassa du vouvoiement au tutoiement.

— C'est ton téléphone dans ta main? demanda-t-il sans égard.

— Oui.

— Tu peux me le donner, s'il te plaît? Merci. Tu laisseras également ton ordinateur sur le bureau en partant. Sur le siège là, c'est ta veste?

— Oui. Vous voulez me prendre ma veste aussi?

— Non. Ta veste, tu l'enfiles et tu t'en vas, dit-il avant de se rasseoir.

Je m'exécutai mécaniquement, comme sonné dès le premier round d'un combat que je n'avais pas eu envie de disputer. Je me levai, pris mon cuir et commençai à me diriger lentement vers la porte. Mais il ne pouvait pas s'en tirer à si bon compte. Je me retournai. Pendant un instant je me suis vu lui allonger une droite, puis une gauche, puis une autre droite, je lui casse le nez, il saigne… Mais j'interpellai Fischer sèchement, comme un cow-boy de western. Avec un sourire de politicien, comme un réflexe, l'autre recula puis posa ses pieds sur le coin du bureau et se balança sur sa chaise.

— Arrêtez cet air vicieux, Fischer. Écoutez-moi bien. J'ai encore plein de rêves, et pendant que vous restez le cul dans votre fauteuil, je vais les réaliser. Je pourrais vous casser la gueule ou vous cracher à la figure, mais je vais sortir tranquillement, et vous savez pourquoi? Parce qu'un type comme

117

vous sur la route d'un type comme moi est une bénédiction. Ne pas être vous est un privilège. S'en rendre compte est un cadeau du ciel. Alors, je vous remercie infiniment, Fischer. Merci, merci Fischer. Merci.

Il neigeait. La ville était blanche, laiteuse. Je décidai d'aller voir Manuel à New York, de faire enfin ce voyage. Je préparai mon sac avec le minimum vital : plusieurs objectifs, quelques affaires de rechange et une trousse de toilette. Assis devant mon écran d'ordinateur, je regardais les flocons qui tombaient plus doucement que d'habitude, légers comme des plumes, comme si les anges avaient organisé une bataille de polochons.

Manuel. Je débarque dans la Grosse Pomme. J'arrive dans quelques jours. Je t'appellerai. J'espère que tu auras un peu de temps pour moi. Je t'embrasse. Ton père.

Isabella. Je me suis fait virer du journal. Besoin de prendre l'air. Je quitte immédiatement la région. J'ai pensé à Bruxelles… Mais j'ai peur de te déranger dans ton travail. Si tu es d'accord, je viendrai dans quelques jours, je te laisse t'organiser, mais je m'occuperai de l'hôtel dès que j'aurai ta réponse. Tu pourras oublier ta pièce-cuisine quelques heures. J'ai décidé de me faire plaisir, de voyager. Je commence par New York. Des baisers. Alberto. P.-S : Si tu parles à ma mère, ne dis rien à propos de mon licenciement.

Maman. J'ai quitté le journal. Ne t'inquiète pas. Je travaillerai pour moi, j'ai des projets. Viendras-tu à la maison pour les fêtes ? Je te ramènerai à Gréoux, si tu veux. Isabella va très bien, Manu aussi, l'enregistrement de son disque avance. Je t'embrasse très fort. Ton fils qui t'aime.

Antoine. Salut vieux. Je me suis fait virer du journal. Réservez-moi une soirée pour dîner, j'arrive à New York pour voir Manuel et ton expo. Bisous à Catherine.

❧

Sur le vol Paris-New York, je ne fis attention ni au décollage ni à l'atterrissage, encore moins aux zones de turbulences. J'écoutais de la musique au-dessus de la planète, mon horizon avait du sens, de la profondeur de champ. Je pensais au big-bang, à l'immensité, à l'infini. Y'a quoi juste avant l'infini ?

Est-ce que ça fait toujours ça, la première fois, à New York ? L'impression de rentrer chez soi et d'arriver ailleurs en même temps. La sensation d'être déjà monté dans une centaine de taxis jaunes à damier, de poser le pied sur une lune très animée, d'être au centre de la Terre, l'endroit où l'insignifiant devient le merveilleux. Un idéal de vie jusque-là fantasmé grâce aux comédies romantiques américaines et aux posters des tours jumelles derrière le pont de Brooklyn, c'est ça, New York ? Une ville juste avant l'infini ?

Devant l'entrée du Blue Note, je retrouvai Manuel. Je le serrai dans mes bras, comme sur le quai de la gare de Perpignan. Pas trop longtemps, malgré les mois qui venaient de passer. Il portait une veste en velours noir sur un tee-shirt mauve en V, une écharpe en cachemire, un jeans et des baskets. Je le trouvai amaigri, mais beau. J'étais fasciné par son élégance et son style. La fille qui l'accompagnait, son amie espagnole, était habillée de la même façon.

– Bonsoir monsieur. Je suis Pénélope. Avez-vous fait bon voyage ?

– Oui, merci. Je suis ravi de faire votre connaissance ! Vous parlez très bien le français.

– Je triche un peu. Je suis née à La Corogne, ma mère est espagnole, mais mon père est français. Vous restez longtemps à New York ?

– Trois jours.

– Je suis très heureuse de vous rencontrer, monsieur.

– Très heureux, moi aussi, Pénélope, je vous propose d'entrer et de rejoindre mes amis Antoine et Catherine.

Dans ce club de jazz incontournable, je me sentais très différent, un autre homme, terriblement moi-même. J'observai la fiancée de mon fils, elle picolait généreusement, ce qui n'est jamais mauvais signe. Elle avait un sourire collé au visage. Elle n'était pas le genre de jeune fille agitée, pendue à son téléphone comme à un masque à oxygène. Sa main se posait sur Manuel de temps en temps.

J'avais imaginé Manuel un millier de fois comme je le vis ce soir-là. Je repensais au petit garçon qu'il était, à l'âge de quatre ans, ne quittant pas un lecteur de CD plus épais que lui. Il se promenait dans l'appartement en écoutant la Mano Negra. Quelques années plus tard, à douze ans, il avait appris la guitare et commencé le piano. Un soir de semaine, je l'avais emmené au concert de Manu Chao à Paris. Comme il y avait école le lendemain, on avait roulé jusqu'au cœur de la nuit pour revenir chez nous. À son réveil, mon fils avait dit : « Je crois que j'ai rêvé, papa. » Le professeur principal m'avait convoqué. Manuel, qui pensait plus à la musique qu'à l'école, s'assoupissait et se perdait dans ses pensées en plein cours, sa moyenne faiblissait. J'avais fait profil bas pour la forme, il était inutile d'entrer dans un débat stérile avec un représentant de l'Éducation nationale à cheval sur les principes des institutions, comme on peut l'être sur la literie. Il avait raison, en plus.

La voix de la chanteuse derrière son piano était d'une rare perfection. La bande originale de la nuit était du vieux jazz, comme dans un film de Woody Allen. Nous portâmes des toasts au bonheur des couples présents à table, à l'espoir, aux succès artistiques d'Antoine et de Manuel.

— La réussite et l'échec ne sont pas très éloignés, c'est la mer et le bord de mer. Parfois, il faut avoir la force de se jeter à l'eau. Si l'on reste sur le sable, ce n'est jamais un hasard, dit Antoine.

— Je suis d'accord, ajouta Manuel, la vie se joue sur des détails, mais surtout sur le travail, le don de soi et l'humilité.

— Il y a des gens qui triomphent avec arrogance, poursuivit Catherine.

— Oui, carrément. Je ne parlais pas de la modestie affichée de l'artiste, mais de celle qui coule dans ses veines. Celle qui vient de loin, de l'enfance. Je pense que les bases de tout se trouvent dans cet équilibre-là. Si j'ai du succès, ça sera en partie grâce à ça. Moi, je veux vivre de la musique et être heureux. C'est possible, non ?

Un instant j'ai envié sa jeunesse, ses yeux brillants et la main que sa fiancée posait sur lui. Elle ressemblait à Isabella à cet âge-là, elle avait la même façon de bouger, de rester dans le regard de l'autre.

Deuxième jour à New York. Avant d'aller photographier le groupe, je bus un verre au bar de mon gratte-ciel en consultant mes e-mails. Isabella ne m'avait toujours pas répondu, ce qui m'excédait. Le tableau de Manhattan qui bouillonnait, ce mélange entre les lumières artificielles de la ville et les dernières minutes de clarté, ce bleu nuit derrière les buildings, calmait mes nerfs. La vue de la terrasse de l'hôtel accentuait encore mon émotion d'être là.

Je marchai dans les rues en fixant les visages du monde. À seize ans, j'avais imaginé cette ville mille fois en découvrant la chanson d'Yves Simon *J'ai rêvé New York* : « Monsieur Gregory Corso, qu'est-ce que la puissance ? Rester debout au coin d'une rue et n'attendre personne... » Je l'avais écoutée pendant des mois. J'y avais trouvé la définition de la puissance, qui n'était rien d'autre que la clé pour devenir un homme : n'attendre personne.

À New York, la ville dans laquelle Manuel volait de ses propres ailes, je m'arrêtai devant l'Empire State Building. Je restai debout une heure, persuadé d'avoir un peu plus de forces pour affronter le monde. Alors Gregory Corso, c'est toujours ça la puissance ?

Je dormis beaucoup avant de voir qu'Isabella m'avait enfin répondu. Étrangement, elle se réjouissait de me revoir. Je réservai un vol et une chambre. J'imaginais son Belge en perte de vitesse. Je rêvais d'une finale olympique, d'une cérémonie de clôture grandiose. Fin de l'escapade monsieur, et bonjour chez vous. Jaloux, moi ? Non, mais revanchard, oui. En devenant new-yorkais, mes doutes et angoisses des semaines précédentes avaient complètement disparu, j'étais un conquistador qui partait à l'assaut d'un nouveau monde.

Le troisième jour, Manuel se leva tôt pour venir me dire au revoir, avant de retrouver le studio d'enregistrement. Il commanda un double espresso italien, des œufs et du bacon, avala son petit déjeuner en quelques minutes en envoyant douze SMS. Il recommanda un café et articula péniblement :

– On s'est pris la tête pendant une heure avec Charlotte au téléphone, mes musiciens m'attendaient pour un mix. À la fin, elle m'a dit qu'elle ne voulait plus jamais me revoir, que j'étais totalement immature et inconséquent. Du coup, on a passé une sale soirée avec Pénélope. Je suis venu à New York pour la musique, j'avais promis à Charlotte que rien ne pourrait mettre notre couple en danger et je tombe amoureux d'une fille un mois plus tard. Je suis mal à l'aise par rapport à ça, tu vois c'que j'veux dire ?

– Je vois. Lève-toi !

– Pardon ?

– Ne bouge pas !

– Tu fais quoi, papa ?

– Une photo.

– Maintenant ? Je te raconte un truc triste, je n'ai pas envie de…

– Justement. Ne fais aucun geste. Ne souris pas.

— Ça, c'est facile.

— Ne dis plus rien. Merci. Encore une seconde. Parfait. Très bien. C'est dans la boîte.

— …

— Je prépare une série : les gens me parlent d'une minute sombre de leur vie, et moi je fais un portrait. Tu es vraiment amoureux d'elle ?

— De qui ? Pardon ! Oui… Oui. Carrément. Tu as souvent dit que, quand t'avais vu maman pour la première fois dans ce café, tu avais su tout de suite. Avec Pénélope, c'est pareil.

— C'est plus facile de dire ça après coup.

— Tu exagères, tu m'as toujours certifié que ça ne faisait aucun doute.

— C'est la vérité Manuel, j'ai aimé ta mère immédiatement, mais toutes les histoires d'amour ne commencent pas comme ça.

— Je sais, évidemment.

— Je vous ai observés, je pense que Pénélope est amoureuse de toi, vraiment amoureuse. Vous avez déjà parlé d'avenir ?

— Pas trop, elle reste neuf mois à New York, puis, théoriquement, elle retourne à Madrid. Avec le groupe, on entame notre tournée en mars, alors demain…

— Et en plus, elle est comédienne !

— Ça ne va pas être simple, mais… c'est la vie.

Il m'embrassa.

– Je crois en ton talent Manuel, je suis super fier de toi, fier de pouvoir dialoguer d'égal à égal avec l'homme brillant que tu es devenu.

– Merci papa. Je file, et merci pour les photos, tout le monde les trouve super.

Il me tendit une clé USB sur laquelle il avait déposé ses nouveaux morceaux et se mit à fendre l'air pour ne pas être en retard dans son tourbillon. Je le suivis du regard le plus loin possible, en me disant que pour lui, la puissance était de courir dans les rues de New York.

À CAUSE DU VENT et de la pluie, le Boeing toucha le tarmac de l'aéroport de Zaventem tant bien que mal. J'avais trouvé un hôtel de charme à deux pas de la célèbre Grand-Place de Bruxelles. Isabella s'était occupée de réserver une table pour dîner. Elle connaissait les lieux branchés partout où elle passait. Impossible de louper le Belga Queen, une ancienne banque transformée en restaurant.

— C'est un endroit incroyable, non? Tout est belge ici, le mobilier, les frites, le vin.

— Il existe des vignobles en Belgique?

— Oui monsieur.

— Je vais plutôt prendre une bière.

— Ne sois pas méchant avec les Belges!

— Je n'oserais pas, je sais qu'ils sont très accueillants. C'est ça? Tu passes de belles soirées ici, non?

Elle était rieuse, mais j'avais senti un embryon de tension dans notre baiser de retrouvailles, froid et dérobé, comme pour me faire comprendre que nous étions sur un territoire qui n'était pas le mien. Un serveur alluma la bougie blanche de notre table. Les yeux d'Isabella étaient attirés, à intervalles réguliers, par la porte d'entrée. Je devinais qu'elle venait ici avec l'autre, le Manneken Pis radiophonique, et qu'il pouvait faire son apparition d'une seconde à l'autre. Mais je n'évoquai pas le sujet. Je m'étais promis de ne pas bouger une oreille, de ne pas faire la moindre allusion. Garder mon sang-froid était un défi qu'il fallait que je relève. J'essayais de me convaincre qu'Isabella reviendrait vers moi, qu'il était inutile de forcer les choses. J'avais vingt ans d'avance, oui ou non? Oui. Mais cette réponse incontestable n'effaçait pas mes doutes qui retrouvaient de la virilité au contact de l'évidence.

— Je vais souvent au cinéma, aux soirées de la radio. Tu sais que j'adore lire un bon roman dans mon lit avant de m'endormir, je n'ai pas changé. Je viens de terminer un Modiano, et toi?

— *Le Vieil Homme abandonné*, tu connais?

— T'es con!

— Oui, je me dis ça le soir à la maison, pendant que tu t'éclates ici. On est comme des parlementaires qui s'emmerdent en Alsace et s'amusent en Belgique.

— C'est un reproche?

— Pas du tout. Un jour, tu t'emmerderas ici et je m'éclaterai là-bas. Ce jour-là, tu seras heureuse de rentrer au bercail. À Noël par exemple?

— Oui. Sans doute.

— Ton fils viendra avec Pénélope, elle est très bien sa nouvelle fiancée, tu verras.

— Je suis triste pour Charlotte, elle m'a téléphoné en larmes, Manuel n'a pas été très courtois. Ça saute une génération, la courtoisie, chez les Caruso ?

Curieusement, je pensais qu'Isabella agressait mon père, qui, je me l'avouais enfin, n'avait pas été un modèle d'intégrité ni de délicatesse avec les femmes, mais c'était mon père. Je n'avais pas envie de le voir traîner dans la boue. Pour éviter le sujet, je revins sur celui qu'elle avait joliment esquivé.

— Tu poseras la question à ma mère, avec un peu de chance, elle passera les fêtes avec nous. On pourrait réveillonner à Sessenheim ? Qu'en penses-tu ?

— Comme tu veux ! répondit-elle habilement, me laissant la conduite de la conversation.

— Je disais ça pour te faire plaisir, tu attaches beaucoup d'importance aux volailles de fin d'année d'habitude.

— Tout ça me paraît loin, et j'en ai marre d'organiser, de préparer, de nettoyer, de débarrasser, tu vois ?

Les projets d'Isabella me semblaient aussi clairs que la mousse de ma bière. Du coup, les rancœurs accumulées depuis l'été précédent refaisaient surface. Et pouvaient se transformer en conflit ouvert en une seconde. Mon apparente bonne humeur était à l'épreuve. J'eus envie de lui demander si son Belge l'emmènerait au soleil, si c'était lui le

Père Noël cette année, si je devais faire une croix sur les fêtes avec elle et, dans ce cas, partir en voyage, moi aussi. J'aurais aimé savoir si elle avait l'intention de revenir vivre avec moi. Ça me brûlait les lèvres, mais je restai souriant et commandai de la bière et des frites.

— As-tu fait des connaissances à Bruxelles ?

— Oui, les gens sont adorables. Hier, à la radio, j'ai interviewé Azna, un type hallucinant, un allumé, fan d'Aznavour, il ne parle qu'en utilisant les paroles de ses chansons, c'est totalement surréaliste. Tu lui poses une question, il te répond un truc comme : « C'est For me, formidable… » ou « Je voudrais pouvoir un jour te le dire… ». Il en a fait un spectacle dans un petit cabaret à deux pas d'ici. On pourrait y aller après dîner ?

— Emmenez-moi…

— Bien joué !

— … au bout de la Terre, au pays des merveilles…

— Tu es très exigeant !

— Et de passer une nuit avec toi ? C'est trop ?

— Au lieu de raconter des conneries, parle-moi de toi.

J'eus envie de lui dire ce que je savais de mon père, d'évoquer les révélations de ma mère. Je préférai tout garder pour moi.

J'avais certainement l'air accablé d'un homme à la dérive, alors Isabella posa sa main sur mon poing serré. Elle leva les yeux. Ce que je vis à l'intérieur était si doux qu'elle aurait pu exiger de moi n'importe quoi. Elle ne savait pas au juste pourquoi j'étais sombre, mais l'idée qu'elle fasse un peu attention à moi ne me déplaisait pas et encourageait mon silence. J'eus très envie de la toucher, de lui faire l'amour. J'ouvris mes doigts pour qu'ils puissent s'emboîter avec ceux de ma femme. Je la trouvais belle, plus belle que le jour de notre rencontre, mais quelque chose m'incommodait, comme un parfum qui tourne.

En sortant du Belga Queen, après quelques pas protégés par son parapluie, nous passâmes devant la statue du Manneken Pis. Je le saluai, « mes hommages », et fus pris d'un fou rire. C'est un enfant! Depuis l'été dernier, j'imaginais Isabella dans les bras d'un balaise barbu autoritaire. J'avais déjà vu le « môme qui pisse » dans des guides ou des encyclopédies, mais j'avais complètement négligé le fait qu'il s'agissait d'un jeune garçon avec son petit zizi dans la main. Isabella ne me demanda pas pourquoi j'étais euphorique d'un seul coup. Elle insista pour aller voir le spectacle d'Azna. Ce fut totalement raté, un bide. Les gens sifflèrent et quittèrent la salle après un quart d'heure à peine. Nous avions suivi le mouvement et bu un verre dans un bar aux alentours.

Plus tard, nous rentrâmes à l'hôtel. Derrière les grands rideaux rouges de la chambre, il pleuvait à verse. Isabella s'abandonna à moi.

L'heure du petit déjeuner était largement dépassée. Je cherchai vainement un petit mot quelque part. J'allumai mon portable. Un texto : « La nuit était belle. Baisers. » Notre lune de miel de la veille avait réveillé de vieilles sensations. Le cerveau garde-t-il en mémoire les effets du plaisir ? Suffit-il de reprendre une cigarette, une seule, pour replonger ? Suffit-il de se toucher, un peu, pour retrouver de l'air ? J'avalai un café, un deuxième. La pluie tombait toujours à grosses gouttes. Mais, aucune importance, j'avais le cœur aussi léger que la fumée que j'expirais de mes poumons. Avant de quitter l'hôtel, j'appelai Isabella. Son portable était éteint. Je ne laissai pas de message.

Quand je sortis de l'agence de location de voitures avec une berline dernier modèle, une lumière pâle d'hiver éclairait l'horizon. J'eus l'idée extravagante de prolonger mon séjour à Bruxelles, pour connaître les effets de cette nuit sur les dispositions d'Isabella à l'égard de notre couple, pour réveiller mon orgueil qui dormait à poings fermés depuis son départ, mais je préférai rester sur une bonne impression, sur une mélodie qui sonnait bien. Une soirée supplémentaire aurait placé Isabella dans une situation inconfortable avec son Belge. Il nous fallait sans doute du temps pour savoir si la vie allait reprendre comme avant. De toute façon, je devais me l'avouer, au fond j'avais envie de quitter Bruxelles. Il y avait un décalage entre mes actes – tout faire pour reconquérir Isabella – et mes vrais sentiments. Ces dernières semaines, vides de sa présence, avaient laissé des séquelles, des lésions fatales sur notre histoire, qui réduisaient les possibilités d'espérer une suite. La nuit dans cet hôtel ne changeait que les apparences. Dans la traversée d'un désert, il arrive une seconde ultime où revenir en arrière est impossible. Il faut avancer, oublier l'éloignement, la siccité et la chaleur. Pour survivre.

Dans l'autoradio, la voix de Nat King Cole couvrait les bruits du moteur et du vent sur la carrosserie. Je regardai mon visage dans le rétroviseur. Mes yeux brillaient dans le clair-obscur.

❦

Il me restait une centaine de kilomètres à parcourir avant de retrouver ma ville. Je m'arrêtai pour faire le plein, boire un café et croquer dans une pomme. Puis je remis la clé de contact, repris la route, enclenchai le pilote automatique et me perdis dans mes pensées.

Quelques minutes après le coup de téléphone de ma mère, mon père gare sa dépanneuse nez à nez avec la 504 rouge, claque la portière, caresse doucement l'aile avant droite de la Peugeot comme s'il découvrait une nouvelle matière première. Il ouvre le capot et plonge sa tête dans le moteur. Il n'a pas encore vu Lucia. L'équipe du film est en place dans une maison en lisière de forêt pour tourner l'arrivée de la star en 504. Lucia sort de sa loge. Elle porte une robe noire et des chaussures à talons hauts, un rouge à lèvres endiablé. Ces cheveux sont tirés en arrière et retenus par un foulard.

Je mis mon clignotant pour doubler un camion et arriver au péage. Ticket, carte bleue, pas de justificatif. La barrière se leva. J'accélérai.

Lucia demande au réalisateur si on ne peut pas changer de voiture, elle commande une eau minérale, elle dit que ça commence mal, ce film. Le cinéaste répond que c'est impossible, qu'au montage le rouge de la 504 doit se fondre avec son rouge à lèvres dans plusieurs scènes, que cette putain de bagnole va finir par démarrer, que le mécanicien est là. Mon père, sans sortir les mains de la décapotable, dit que oui, sans problème, si on lui laisse un peu de temps et un peu d'air pour travailler. Lucia l'entend parler pour la première fois. Comme elle aime les hommes à la voix profonde, elle s'approche de lui. Mon père relève la tête.

Je me déplaçai sur la voie de droite. Une voiture me doubla.

Lucia est absorbée, elle se soumet à la présence de mon père, comme on regarde un volcan. Elle veut lui demander si cette voiture sera réparée avant le lendemain, mais, au lieu de ça, elle s'agace et dit que c'est pazzo de perdre autant de temps pour un tas de ferraille. Le réalisateur exige le calme. Le ton monte, elle fixe mon père comme si elle l'engueulait, lui. D'abord, il n'arrive pas à soutenir son regard. Leurs yeux se croisent, s'évitent et finissent par se dompter dans la confusion la plus totale qui règne sur le plateau. On s'excite, certains demandent du silence, d'autres en rajoutent, ma mère est désemparée. Le réalisateur affirme qu'il sera trop tard pour tourner la scène, que la nuit va tomber, que ce n'est pas écrit dans le scénario.

Je passai sur un pont sans ralentir ma berline de location.

Mon père monte dans la 504. Elle démarre au quart de tour. Au point mort, il appuie sur l'accélérateur et fait chauffer le pot d'échappement. Il remonte dans sa dépanneuse, enclenche une cassette, recule et quitte le lieu de tournage sans un mot, dans un nuage de poussière.

J'accélérai.

Lucia repasse au maquillage. Les caméras sont en place, le réalisateur exige le silence, on va tourner. On ne refait pas la prise. Coupez. Lucia rentre à l'hôtel en taxi. Elle pense à mon père, plus qu'à tous les hommes qu'elle a rencontrés dans sa vie. Il lui plaît. Elle veut le revoir. Demain, elle trouvera l'adresse du garage, elle ira le remercier pour la voiture. Elle s'endort avec son odeur à lui, qu'elle ne connaît pas encore.

Un texto arriva sur mon téléphone, il m'extirpa de mes pensées, puis un deuxième, moins de dix secondes plus tard. J'avais roulé sans me rendre compte des kilomètres qui défilaient sur le compteur. C'était étrange cette impression de ne rien savoir de ce qu'il s'était passé alors que j'étais au volant d'un engin lancé à plus de cent trente kilomètres à l'heure. La séquence sur le disque dur était effacée. J'avais roulé l'esprit déconnecté, dans une réalité qui était aussi le film de ma vie. La nuit était tombée. À cette heure, mes yeux n'avaient plus la force de lire les SMS en voiture.

᷒

Garé devant chez moi, je lus le premier texto. « Mon amour. J'ai hâte de me retrouver en famille. Et puis tu sais, j'ai bien réfléchi, je crois que l'on pourrait vivre ailleurs. ☺ Je t'aime. » Elle qui ne semblait plus attachée à rien depuis six mois écrivait maintenant avec ferveur. Je fus triste en découvrant ce message. Il aurait dû me remplir de joie, je l'avais tellement désiré, attendu. L'espace que son départ avait creusé entre nos corps était insondable. J'étais un animal blessé, un loup solitaire que l'on avait chassé. Pouvait-elle imaginer que je fasse un autre choix, que je renonce finalement à elle?

Le deuxième texto était signé Lola. Nos courts moments passés ensemble à Paris avaient troublé l'ordre établi de mes sentiments, de mes croyances si bien alignées, si préréglées, si parallèles, comme les rails du TGV Est. En niant les effets de Lola sur mon comportement, j'avais construit une image d'elle éloignée de la réalité. Elle était hors d'atteinte. Son texto changeait tout : « Bonjour Alberto, je pensais à toi. Si tu es dans le coin, nous pourrions nous voir. » J'eus envie de répondre immédiatement oui, voyons-nous, ce soir si tu veux. Mais il y avait des résistances en moi. En arrivant dans mon appartement, j'eus l'étrange impression d'entrer chez quelqu'un d'autre, il faisait froid. Je jetai mon sac de voyage dans l'entrée, j'allumai une gauloise bleue que je fumai en faisant du feu dans la cheminée.

Plus tard, Lola me demanda d'être ami avec elle sur Facebook. J'acceptai. Je cliquai sur son profil, son statut était actualisé régulièrement : Lola dévore (un livre)... Lola pique-nique plutôt deux fois qu'une... Lola regarde *Quai des Brumes*... Lola pense à lui...

Elle pense à lui? À qui? À moi? J'ouvris une fenêtre de discussions instantanées :

— Tu vas bien?

Elle répondit immédiatement :

— Oui. Mieux.

— Mieux?

— Je fais du yoga, je cours, j'écris, je regarde des films. J'écris...

— Ce week-end, on pourrait manger des glaces, aller dîner, au cinéma. Beaucoup d'autres choses, si tu veux.

— Emmène-moi à Prague!

— Et après?

— Prague me fait rêver. C'est la ville de Milena et Kafka.

— Ils se sont rencontrés deux ou trois fois, comme nous.

— Un peu plus que ça, nous avons encore du crédit.

— C'est d'accord pour Prague.

— C'est absolument parfait.

D'ABORD JE ME RÉJOUIS de cette escapade pleine d'ardeur pubère à Prague, puis j'eus envie d'annuler, avant de finalement décider de poursuivre mon tour du monde en passant par la ville de « l'insoutenable légèreté de l'être » et oublier le reste quelques jours.

Dans l'aérogare, au rayon librairie de la boutique de souvenirs, le dernier ouvrage de Lola Franchini, celui sur les ours qui meurent sur la banquise, était en tête de gondole. Il y avait aussi *L'Homme en costume*, en livre de poche. Je les achetai et dévorai son premier roman dans l'avion, le dernier chapitre juste avant l'atterrissage :

« Le chauffeur rédigea un courriel destiné à toutes les rédactions de la presse française. Il indiqua l'endroit exact où retrouver les corps, celui de l'homme en costume, et le sien. Il ne justifia pas son double homicide, écrivit simplement qu'il n'était pas l'auteur du meurtre de la femme grande. Il avait conclu son courrier par ces mots : "Vous pouvez comprendre."

« Le chauffeur administra à l'homme en costume une dose de somnifères suffisante pour qu'il s'endorme. Il trouva la force d'appuyer sur la gâchette, avant de retourner l'arme contre lui.

« Sur le sol, entre les deux corps en sang, le silence attendait d'être brisé. »

Lola était grave, comme si les événements tragiques de son existence étaient la locomotive de chacune de ses phrases. Des wagons de tristesse. Comme si le fait de partir avec un homme qu'elle avait désiré mettait fin à l'enthousiasme qui avait précédé, comme si, pour elle, il était impossible de vivre l'instant. J'essayai de plaisanter, de rompre l'austérité, mais, dès le décollage, je sus que ce week-end serait plus touristique qu'érotique.

❧

Café Slavia, le coin des nuits blanches des intellectuels tchèques autrefois. Vue sur la Vltava. Nous avions rendez-vous avec Virginie, une amie de Lola installée à Prague depuis deux ans. Elles avaient partagé leur lit et la même passion pour Milan Kundera, le temps de leurs études. Virginie avait du retard. Un homme étrange habillé d'un short et chaussé de baskets de compétition parlait d'Emile Zátopek, la « locomotive tchèque », le coureur de fond, quatre fois médaillé d'or aux jeux Olympiques. Je ne voyais aucune autre conversation possible avec Lola, alors je me décidai à parler de son roman.

— Pourquoi as-tu écrit *L'Homme en costume*, c'est très dur, très masculin même?

— Je ne sais pas. Je m'en fous. On écrit à un moment de sa vie et le texte ressemble à ce que l'on est, à ce que l'on a compris ou pas de son propre parcours. C'est le même mécanisme pour le lecteur, il reçoit le livre comme un miroir, parfois il a envie de se fondre dedans.

À cet instant, mon portable signala un SMS entrant : « L'intensité s'installe au creux de mon ventre, un peu plus bas… Que faire maintenant? Rêver que tu es toujours plus en moi? Toujours plus. Ta femme. » Je souris. Lola n'appréciait pas du tout que je m'occupe de mon téléphone en plein tête-à-tête. Elle prit sur elle, resta muette. L'appareil se manifesta une deuxième fois. Je lus le SMS : « Le temps s'harmonise pour former en son sein une autre que je suis déjà. Téléphone entre mes cuisses. Vibrations attendues. » Lola était exaspérée :

— Tu dors avec ton portable aussi? me dit-elle.

— Aussi, oui, pourquoi?

— Pour rien! répondit-elle avec un air contenu et la bouche de travers.

— Tu es certaine que tu n'écris que pour toi et pas pour les autres?

— Je me fous de savoir pourquoi j'ai écrit ça et pourquoi les gens aiment ou détestent, parce que mon livre ne sera jamais reçu pour ce qu'il est, mais pour ce qu'il provoque, trancha-t-elle sèchement. J'écris, le reste je m'en contrefous.

Avant qu'elle s'envenime, notre conversation fut interrompue par l'arrivée de Virginie. Elles ne s'étaient pas vues depuis dix ans. Elles avaient vécu une histoire d'amour, ça se sentait dans leur façon de s'embrasser. Virginie était heureuse de faire ma connaissance, elle s'excusa plusieurs fois pour le retard. Lola était « sincèrement heureuse » d'être à Prague et de revoir Virginie. Elle avait dit « sincèrement heureuse ». Est-il utile de préciser que l'on est sincère quand on exprime de la satisfaction ? Pendant une demi-heure, elles parlèrent comme si je n'étais pas là. Je les écoutais vaguement évoquer leurs études, leur passé commun, leurs projets.

Au bout d'un moment, Virginie, qui ne pouvait visiblement pas s'empêcher de jouer les guides, nous proposa d'aller faire un tour sur la colline de Petrin, et de ne pas rater la tour Eiffel de Prague. Elle nous expliqua que, revenus enthousiastes de l'Exposition universelle de Paris en 1889, les Tchèques avaient construit une réplique de la tour Eiffel. La Rohzledna a d'ailleurs la même altitude au-dessus de la mer que sa prestigieuse aînée. « Sans déconner. » Du haut des deux cent quatre-vingt-dix-neuf marches, la vue sur le centre historique de Prague est imprenable, le panorama exceptionnel ! Parfait. J'essayai de la faire taire, en posant des questions sur leur passé commun, elle répondait, puis elle trouvait le moyen de reprendre sa description super précise de Prague « c'est adorable merci » pour gogos touristiques et amoureux. En cinquante-deux minutes, elle fit le tour des immanquables à visiter en quarante-huit heures chrono.

– Après la Rohzledna, vous irez vous promener dans l'immense parc de Petrin. Il y a là-bas une reproduction du poète Karel Hynek Macha, le Musset tchèque, enfin, un sentimental quoi, il est mort prématurément. *Mai* est son poème le plus célèbre. Tous les ans, le 1er mai, la tradition veut que les jeunes romantiques s'embrassent au pied de la statue. Je vous fais une dérogation, ça marche aujourd'hui aussi. Après ce baiser, vous ouvrirez cette enveloppe et vous lirez mon texte préféré sur l'amour, écrit par Sana Cerna, la fille de Milena Jesenská. Salut les amoureux, je file.

Devant le poète, nous n'avions rien d'un couple d'amoureux. Pas de baiser du mois de mai, pas de promenade main dans la main, nous n'étions ni beaux ni insouciants. Je voulais prendre un taxi et me noyer dans les feux arrière des voitures. Plus le temps passait et moins j'avais envie d'être dans la ville aux cent clochers dressés vers le ciel. À Prague, tout bandait, sauf moi.

Nous avons ouvert l'enveloppe de Virginie. Lola a lu le texte écrit à la main.

« Leur amour échappera à toute confrontation avec la réalité. Ainsi, Kafka et Milena ont pu s'offrir l'un des plus grands luxes qui soient : celui d'être absolument sincère, de se livrer à la connaissance parfaite de l'autre. Ils n'ont couru aucun des dangers qui menacent ceux dont les corps se côtoient en même temps que les âmes. Ils n'ont aucunement risqué l'érosion du quotidien. Au lieu de la proximité physique, le désir de cette proximité leur a été octroyé. Ainsi, tout en se connaissant mieux que s'ils avaient vécu ensemble jour après jour, ils sont demeurés l'un pour l'autre "l'idéal". Du moins au début. » Sana Cerna.

— Eh bien, ça va dans mon sens, je n'ai pas envie de me « cogner » à la réalité, affirma Lola.

J'avais vu juste, il ne pouvait rien se passer avec elle. Son corps contre le mien était une flamme qui ne brûlait pas. Pour Lola et moi, Prague fut comme la promesse d'une ivresse, une parade sans confetti qui ne menait nulle part.

Le lendemain, nous avons pris notre petit déjeuner sur la terrasse minuscule du Grand Café Orient. Plus tard, nous avons marché dans l'air frais de la ville. « Je ferme les yeux, tu es là. J'ouvre les yeux, tu es là. Je t'aime. Ta femme. » Isabella semblait découvrir la fonction des textos sur son téléphone. Lola acheta des cigarettes, elle dit qu'elle en avait besoin, qu'elle reprenait la clope et puis voilà.

— Notre histoire aurait pu être jolie, on a trop attendu… Si l'on arrête là, je serais triste, Alberto.

– Tu n'es pas amoureuse…

– Je peux être triste de ne pas être amoureuse.

Sans désir, sans joie, je quittai Prague et Lola sans regret. Je n'eus pas à en rajouter lorsqu'elle descendit du taxi devant chez elle. Elle me déposa un baiser dans le cou. Une Milena Jesenská et un Franz Kafka de pacotille s'effacèrent, ils ne s'étaient jamais rencontrés.

J E DÉPOSAI MON SAC au milieu du salon et m'écroulai sur le canapé. À huit heures, je me levai, je chaussai mes baskets de jogging et j'enfonçai les écouteurs de mon téléphone dans mes oreilles. Je me mis à courir, courir pour trouver la puissance. Mon corps me fit mal partout, mais je courus encore, comme Emil Zátopek, comme Carl Lewis, comme un champion qualifié pour la course de sa vie. Seul sur la ligne de départ. Un seul couloir et l'arrivée à l'autre bout. Mes larmes coulaient dans les rues désertes. La douleur disparut au fil des minutes, au profit d'une légère amertume, mais je bondissais, je m'arrachais au vent mauvais. J'étais là, au rendez-vous, je ne lâchais rien. J'avalais la piste, je battais tous mes records. Je courus, sans savoir où j'allais m'arrêter, en pilote automatique, l'esprit déconnecté.

Le lendemain de leur première rencontre, Lucia arrive chez Autodino avec la 504. Elle porte un jeans serré et un tee-shirt vert pomme. Ses yeux sont cachés derrière une énorme paire de lunettes. Mon père la regarde… Presque méchamment, comme s'il devinait déjà qu'elle allait détruire sa vie, qu'il ne pourrait rien éviter, qu'il la laisserait faire. Elle demande si on peut lui faire le plein. Elle veut boire un thé. Mon père la regarde... Il ne répond pas, introduit une pièce dans le distributeur, appuie sur la touche thé instantané citron, attend que le gobelet en plastique tombe, se remplisse, et le pose sur le comptoir devant la caisse automatique, devant Lucia. Entre-temps, elle observe les posters de sportifs sur les murs, les cartes de France Michelin, les accessoires, les rayons d'autocollants, une affiche « les routiers sont sympa », l'étagère des paquets de chewing-gums Hollywood et les tasses blanches avec des motifs orange et marron que l'on obtenait en collectionnant les points des pleins d'essence dans certaines stations... Mon père la regarde... Il lui rend la monnaie sur son billet de cinq cents francs. Elle sort sans toucher à son thé... Mon père la regarde... Elle enclenche la première, puis démarre en faisant patiner les roues dans les graviers. Le lendemain, Lucia téléphone à la station-essence. C'est ma mère qui décroche. Elle la reconnaît immédiatement. Elle appelle mon père, c'est pour lui. Il demande qui c'est. Elle dit c'est important. Il prend l'appel de l'atelier. Ma mère ne raccroche pas l'autre combiné. La conversation se poursuit, une dizaine de minutes. Lucia a envie de revoir mon père. Il accepte. Elle propose le bar de son hôtel au centre-ville. Ils ont rendez-vous le soir même. Il invoque une partie de cartes. Ma mère fait semblant de le croire. Lucia attend en

147

buvant un verre de Get 27. Il est à l'heure. Dans sa chambre,
ma mère pleure.

Je courus jusqu'au bout de la ville. Sans savoir où le vent m'avait porté, je m'arrêtai, à bout de forces.

Je me trouvai là, devant le garage de mon père, sous le soleil froid de l'hiver. Jamais je n'étais revenu ici depuis sa mort. Autodino était en friche, abandonné. L'enseigne traînait au milieu des mauvaises herbes qui avaient poussé de tous les côtés. Elles sortaient même du goudron éclaté et des carcasses de voitures rouillées, descendaient du toit de l'atelier, encombraient la porte d'entrée de la maison, rampaient jusqu'à la route nationale. Je n'osais pas entrer. J'étais comme un enfant perdu, mais qui marche instinctivement dos au soleil pour retrouver ses parents, j'étais comme un soldat qui revient sur le lieu de la guérilla avec des blessures qui n'auraient pas encore coulé.

Le tournage est terminé depuis quelques jours. Mon père monte pour la première fois dans la 504 que la production du film lui a offerte. Lucia avait insisté. Nous le regardons se préparer. Ma mère me tient par la main, elle embrasse mon père sans que leurs bouches ne se touchent vraiment, et lui souhaite un bon voyage. Il me passe la main dans les cheveux. Elle lui a fait des sandwichs au saucisson, elle a l'air triste. L'été est brûlant, la sueur perle sur nos fronts. Ma mère pleure. Ses larmes coulent sur sa robe noire. La 504 amorce doucement son virage pour quitter la cour du garage. La lumière sur sa carrosserie rouge nous aveugle. Je vois le reflet du soleil dans les Ray-Ban de mon père comme un phare qui balaie l'océan. Il met son clignotant, s'engage sur la route vers le nord. Après plusieurs centaines de mètres, il fait demi-tour pour rouler vers le sud et rejoindre Lucia. Ma mère me prend dans ses bras et me dit que nous passons à table.

Je marchai devant les pompes libre-service rouillées par la pluie et les années et entrai dans l'atelier. Je n'y retrouvai pas l'odeur si particulière d'un garage. Les roues hors d'usage n'étaient plus empilées, il n'y avait plus les mécanos en bleu de travail maculé, aucune mare d'huile arc-en-ciel sur le sol, tout était asséché, insensible. Pas de bruit de clés sur les boulons, pas de portes qui claquent et résonnent sous le plafond du hangar. Un routier klaxonna en passant. Bonne route, lui cria Max Meynier.

Mon père arrive à l'entrée du bassin d'Arcachon, il suit les panneaux indiquant Pyla-sur-Mer, le village où vit Lucia. Il cherche sa maison en roulant au ralenti, boulevard de l'Océan. Elle l'entend. Elle est heureuse. Elle porte une robe blanche comme si elle allait se marier, rien d'autre. Elle a posé des fleurs rouges partout chez elle. Elle s'est parfumée, Shalimar de Guerlain, son préféré. Elle est prête à recevoir l'homme qu'elle a choisi, celui avec lequel elle passera le reste de sa vie. Elle le sait Lucia, elle ne doute jamais de rien. Elle crie « Dino », et court vers lui.

Je restai devant Autodino plusieurs dizaines de minutes et appelai ma mère à Gréoux. Au ton de ma voix, elle comprit qu'elle ne pourrait plus éluder mes questions. Elle m'avoua que mon père descendait des semaines entières au bord de l'océan. Au début, ils avaient habité dans une villa de luxe, puis les cachets de l'actrice fondant, ils avaient réduit la voilure. Au garage, mon père ne voulait pas gagner d'argent, seulement du temps pour aller voir Lucia. À l'exception de nos vacances à Argelès-sur-Mer, il s'organisait uniquement autour de cela.

Il engagea un gérant, mais le chiffre d'affaires baissait dangereusement. Chaque année il s'endettait, pour remplir le réservoir d'essence de la 504, mais aussi pour ne pas vivre aux crochets de Lucia, pour payer les restaurants et leurs voyages. Elle n'avait plus les moyens de régler le loyer de son F2, le dépôt de bilan d'Autodino était inévitable. L'assurance-vie combla les dettes et permit à ma mère de s'installer à Gréoux. Les mauvaises herbes pouvaient commencer leur œuvre. Mon père avait-il prémédité son geste ? Avait-il choisi l'endroit idéal pour précipiter sa voiture dans le Rhône ? Lucia, qui n'avait plus tourné ni joué quoi que ce soit depuis trop longtemps, était-elle associée à son acte ? Ma mère affirma que non, mais qu'elle avait senti qu'il ne reviendrait plus chez nous. Elle avait imaginé qu'il allait la quitter pour vivre avec Lucia. La veille de son dernier départ, une semaine avant l'accident, elle m'avait téléphoné. Je l'avais trouvée étrange, presque incohérente. Elle m'avait parlé d'argent, du garage, de l'assurance, des problèmes avec le gérant salarié. La mort de mon père avait effacé cette conversation de ma mémoire.

ISABELLA SONNA. Depuis son aventure bruxelloise, elle n'habitait plus chez nous, alors elle sonna. Je sortis de ma douche avec une serviette rouge autour de la taille. Mes pieds mouillés laissèrent des traces de pas sur le parquet. Elle se jeta dans mes bras. Je me dégageai de l'étreinte en jurant que j'allais attraper la mort, que j'avais froid à cause du courant d'air. Je fermai la porte et me retournai vers Isabella avec l'envie de savoir ce qu'elle faisait là finalement, mais je me contentai de la regarder. Ses traits étaient tirés, elle semblait fatiguée. À cet instant, elle comprit que les choses ne seraient pas simples.

Isabella dit qu'elle aurait peut-être dû prévenir de son retour, téléphoner, mais qu'elle désirait me faire une surprise. Elle proposa de sortir ou même mieux, de cuisiner pour le dîner, me demanda si j'avais des trucs à manger, si je voulais qu'elle descende acheter du pain, des épices ou du vin pour l'apéro. Je répondis « oui », que le frigo, le congélateur et les bocaux d'épices étaient vides depuis des mois. Elle ressortit sans avoir eu le temps d'enlever son manteau.

J'enfilai le vieux jogging et le tee-shirt à manches longues que j'avais l'habitude de porter le soir, pour finalement préférer un jeans et un pull. Puis je me rasai, hydratai ma peau avec les produits pour homme qu'elle m'avait offerts pour mon anniversaire. Après avoir fait une flambée, je m'installai pieds nus devant les bûches qui crépitaient.

Cette fois, elle entra sans prévenir avec un sac rempli de saucisson, pain aux céréales, petits fromages de chèvre frais, tarte au flan et une bouteille de vin. Elle prépara un plateau, mit de la musique, une robe légère, alluma les bougies parfumées.

J'aurais pu agir comme si je lui en voulais, j'aurais pu exiger des explications sur son escapade, sur son histoire avec son Belge, même si j'étais persuadé qu'il n'avait pas existé, celui-là. Nous étions redevenus un couple sur le même quai de gare, mais un couple qui allait prendre deux destinations contraires.

Pendant longtemps, j'avais pensé que nous avions toute la vie, que le mal était rattrapable, que la cicatrice de son départ n'avait pas besoin de soin, mais d'un placebo, de son retour en comprimés matin, midi et soir. Je me trompais. En découvrant la vie cachée de mon père, j'avais trouvé les clés qui ouvraient toutes les portes. Je compris pourquoi je l'avais choisie elle et pas une autre, pourquoi je m'étais appliqué à rester si raisonnable depuis près d'un demi-siècle, pourquoi l'histoire de mon père avait bousculé la mienne, pourquoi l'homme que j'étais devenu ne pouvait plus avancer avec son passé dans les jambes, pourquoi il était impossible de continuer avec Isabella. J'étais silencieux. Elle me regardait comme un joueur de cartes qui sait que c'est fini, qu'il a tout perdu. Ma gorge se serra. Il n'y avait pas un bruit dans l'appartement, seulement le feu qui faiblissait. Isabella pleurait, pour la première fois depuis plus de vingt ans, elle pleurait, mais je ne pouvais pas la consoler.

❧

Des écouteurs dans les oreilles et les cheveux hirsutes, je marchais dans Strasbourg en remontant les quais puis, place du Corbeau, je tournai à droite, rue du Vieux-Marché-aux-Poissons. Je pensai à Goethe, qui renonça à l'amour de Friederike Brion. Il l'aimait encore pourtant lorsqu'il la quitta en plein été, au pied d'un chêne de Sessenheim. Devant le numéro 36, je revis ce jeune garçon qui était sorti de l'appartement d'Isabella après la première nuit avec un grand sourire, celui qui était tombé amoureux d'elle en une seconde. Plus de vingt ans avaient passé, j'étais un autre, j'avais une histoire à vivre. L'histoire d'un homme qui avait été chercher sa liberté avec les dents et qui pouvait désormais contempler les océans, les villes, et tout ce qu'il y a dedans. Un homme debout, juste avant l'infini. Un homme debout, qui n'attendait personne.

Je remercie

Sandrine Roudeix, pour ses mots dans mes moments de doute et son éternelle exigence. Pour ne jamais oublier Venise.

Noé, pour les petites phrases volées et les sourires.

Patricia Grunler, Véronique Thiel, Frederic Solunto, Delphine Danner, Christian Daniel, Pascal Doumange, Évelyne Noiriel, Thomas Flagel, Olivia Rodriguez, Julie Naroun, Emmanuelle Guillon, Emmanuel Hoff, Jewly, Christian Fougeron, Céline Hirsch, Laurette Girard, Isabel Castro, Olivier Larizza, Louis Nore, Simone Morgenthaler, Baudouin Pfersdorff, Sébastien Bizzotto et Céline D'Aboukir.

Léo et ses coups de griffes.

André et Mat.

Marie et la chance de ma vie.

Le Café de l'Opéra et ses banquettes.

Gilles Cohen-Solal, Audrey Siourd, Sarah Hirsch et tous les membres de la famille EHO.

Héloïse d'Ormesson pour sa tendresse, sa confiance et ses phrases qui claquent.

Achevé d'imprimer
sur Roto-Page
par l'Imprimerie Floch
à Mayenne, en décembre 2012.
Dépôt légal : janvier 2013.
Numéro d'imprimeur : 83697.

Imprimé en France